扫码听梁永安讲
《少年维特的烦恼》

世界文学名著名译典藏

全译插图本

少年维特的烦恼

〔德〕歌德◎著　杨武能◎译

DIE LEIDEN DES JUNGEN WERTHERS

长江出版传媒　长江文艺出版社

图书在版编目（CIP）数据

少年维特的烦恼 / （德）歌德著；杨武能译. -- 武
汉：长江文艺出版社，2018.5
（世界文学名著名译典藏）
ISBN 978-7-5702-0227-0

Ⅰ.①少… Ⅱ.①歌… ②杨… Ⅲ.①书信体小说—
德国—近代 Ⅳ.①I516.44

中国版本图书馆 CIP 数据核字(2018)第 031585 号

责任编辑：徐晓星　　　　　　　责任校对：陈　琪
封面设计：格林图书　　　　　　责任印制：邱　莉　　胡丽平

出版：长江出版传媒 ｜ 长江文艺出版社
地址：武汉市雄楚大街 268 号　　　邮编：430070
发行：长江文艺出版社
电话：027—87679360
http://www.cjlap.com
印刷：湖北新华印务有限公司

开本：880 毫米×1230 毫米　　1/32　　　印张：6.5　　插页：4 页
版次：2018 年 5 月第 1 版　　　　2018 年 5 月第 1 次印刷
字数：139 千字

定价：22.00 元

代译序

漫话《维特》

约翰·沃尔夫冈·歌德（1749—1832），德国十八世纪下半叶和十九世纪初最杰出的诗人、作家、学者和思想家。他以自己毕生的辛勤劳作，给德国和人类留下一笔光辉巨大、丰富多彩的精神财富。

1774 年，歌德出版了他早年最重要的一部作品——《少年维特的烦恼》（简称《维特》）。这在德国文学史上，是一件具有划时代意义的大事，不仅年仅二十五岁的歌德因而成为德国乃至欧洲最享盛誉的作家，一向被人轻视的德国文学也提高到了与欧洲先进国家并驾齐驱的地位。在 1832 年《浮士德》第二部问世前，歌德这位"最伟大的德国人"便一直作为《维特》的作者闻名于世。

影响如此巨大的《维特》是部怎样的书？这部书有何价值与意义？

《维特》是一部规模不大的长篇小说，特点是采用了第一人称的书信体。全书共分三个部分：第一、二部分纯粹由主人公维特致友人威廉和女友绿蒂的书简构成；第三部分则是本书"编者"威廉写的后记，中间也穿插着维特临死前写的四封信和几则残简。此外，书前尚有一段"编者"的小引，说明编成此书的"由来"和"用意"。

小说的情节可谓简单，贯穿全书的主线为主人公不幸的恋爱与社会遭遇。根据笔者个人的理解与体会，也不妨称这部书为"青年维特碰壁逃亡记"——

第一次出逃：为摆脱旧日生活中的烦恼，维特来到一个陌生的小城。其时正是春光明媚的五月，他立即投身在美丽大自然的怀抱中，终日读着庄严宁静的荷马古诗，与天真的儿童和纯朴的村民接近，于是感到有一种奇妙的的欢愉充溢着整个的灵魂。稍后，他又在舞会上认识了一位聪明俏丽的绿蒂姑娘。他明知绿蒂已经订婚，却仍对她一见钟情，并很快搬到她家附近去居住，觉得自己好像进了天国，而绿蒂就是这个天国中的天使。可叹好景不长，绿蒂的未婚夫阿尔伯特从外地一回来，维特便从他这幻想的天国中摔到了地上，处于十分尴尬的境地。于是烦恼又代替了宁静，失望又代替了欢欣，就连美丽的大自然也变成了折磨他的鬼魅了。维特只好逃出这个已经失去欢乐的乐园。

第二次出逃：维特到了一个公使馆里当秘书，一开始总算从实际工作中得到了一些慰藉，谁知上司是个偏狭迂阔的官僚，对他的工作和交往多所挑剔，使维特在他手下当差如在苦役船上一般难受。维特好不容易忍耐到第二年春天，却又碰见了一件更难堪的事：维特应邀在某伯爵家做客，一班傲慢顽固的贵族对于这个市民阶级的青年在场大为不满，伯爵只好催请他离去。此事立即成了全城尽人皆知的丑闻。羞愤之下，维特"真恨不得抓起刀来，刺进自己的心窝里去"。

第三次出逃：一年之后，在落木萧萧的初秋，因在社会上四处碰壁而心灰意懒的维特又逃回到了绿蒂身边。可这时绿蒂已经结婚，他的乐园也不复存在：大自然秋风萧瑟，最小最可爱的一个村童已经死去，纯朴善良的村民一个个身遭不幸，就连两株维特与全村老小十分珍爱的胡桃树，也被贪财的村长伙同其新主人砍掉了……

维特终于从一个精神病患者的话里悟出，所谓幸福只存在于疯子的头脑里。

第四次出逃：维特对现实生活已经绝望，唯有逃到爱情中去寻找寄托，便更狂热地恋慕着有夫之妇绿蒂。可这无异于饮鸩止渴，既招来他人物议，又引起阿尔伯特疑忌，绿蒂不得不赶走他。

第五次出逃：残冬到了，维特深感自己成了世界上多余的人，便怀着痛苦与愤懑的心情最后一次出逃，逃向了"浑沌与黑暗"，逃向了死亡，因为——"别无他途"！

以上便是《维特》的主要故事，但它并非出自作者的虚构，而是歌德根据1772年自杀身死的青年耶鲁撒冷的不幸遭遇，并糅合进自己两年来的痛苦经历、思想和感情写成的。女主人公绿蒂就是他一位朋友的夫婚妻夏绿蒂·布甫的化身，年轻的诗人确曾热恋过她；别的重要人物同样在现实生活中有不止一个原型。所以歌德自己说，《维特》这部作品是他"用自己的心血哺育出来的。其中有大量出自我心胸中的东西，有大量的情感和思想足够写一部比此书长十倍的长篇小说"（引自朱光潜译《歌德谈话录》）。

然而，不能因此说，《维特》只是一部个人的恋爱与社会遭遇的悲剧。因为，正如十九世纪的丹麦大批评家勃兰兑斯等早就指出的，它还表现了一个时代的烦恼、憧憬以及苦闷。

《维特》出现在欧洲从封建主义向资本主义过渡的历史转折时期。经过了文艺复兴和启蒙运动，市民阶级的阶级意识已经觉醒，年青的一代更是感情激荡，强烈要求改变自己在政治上的无权地位，打破社会上严格的等级界线，建立"自然的""平等的"人与人关系。他们以"个性解放""感情自由"等口号来反对封建束缚。但与此同时，封建贵族阶级仍牢牢掌握着政权，在其军队和国家机器面前，年青的资产阶级感到自己十分软弱无力，因而普遍滋生了悲观失望、愤懑伤感的情绪。在一段时间里，伤感多愁亦成了一种时髦。1772 年在故乡法兰克福养病期间，歌德就参加过一个由见花落泪、对月伤情的时髦男女组成的团体。而在文学中，感伤主义的小说以及市民悲剧也应运而生。《维特》便是在这种时代气氛和文学潮流中出现的。它那位耽于幻想，多愁善感、愤世嫉俗的主人公，便是当时一代青年的代表。他代表他们，述说了自己的理想与憧憬，并以其一次次碰壁失望后的悲伤哭泣，"对横跨在市民的现实和自己对这个现实所抱的同样是市民的幻想之间的鸿沟"（恩格斯语），发出凄惨的哀号。从这个意义上讲，《维特》反映了十八世纪这个历史转折时期资产阶级所感到的狼狈和痛苦。

而在欧洲大陆各国中，情况最糟糕的又数仍处于封建小诸侯统治下的德国。在这里，"一切都烂透了，动摇了，眼看就要坍塌了，简直没有一线好转的希望"（见恩格斯《德国现状》）。另一方面，德国的资产阶级由于历史和经济原因却最软弱，根本没有力量与勇气像在英、法等国那样去做改变现状的实际尝试。他们中最先进的人物也只能在文学与哲学中去寻求自由，幻想未来，一般平庸之辈就更是向封建势力妥协投降了。所以，我们在《维特》这部作品中看见的德国社会，城市里充满了迂腐的贵族和庸俗的小市民，乡村中到处是不幸者。所以，维特只能一次次逃走以至最后自杀，因为 ——"别无他途"！

对于这个使卓有才智、心地高尚的青年无以存身的社会，歌德通过主人公维特之口进行了多方面的抨击和诅咒；维特恰恰自杀于圣诞节前一天，临死还读了莱辛的抗暴悲剧《艾米尼亚·迦洛蒂》，就更清楚地表示了他对社会的愤懑和抗议。但也仅仅如此而已，软弱的性格注定了他不可能有更勇敢的行动，虽然这已比恩格斯说的"处在（德国）这粪堆中却很舒服"的平庸资产者要高尚一些。

能不能说，维特的悲剧是性格的悲剧呢？诚然，他的性格是病态的；但这病态的性格一如上述乃是时代和阶级的产物，维特即是十八世纪欧洲流行的那种"时代病"的一名重症患者。

能不能说，维特的悲剧仅仅产生于他不幸的爱情和生活际遇呢？也不完全，我们知道，爱情是一个社会问题，历来都反映着时代与社会的风貌。而在《维特》这部小说中，仅仅因婚姻恋爱问题而死、而疯、而犯罪的不幸者还有好几个，并且几乎都是由礼法、财产、等级悬殊的社会限制造成的。

综上所述，《维特》应该说是欧洲十八世纪这个过渡历史时期的悲剧，软弱无力的德国资产阶级的悲剧，落后腐朽的德国社会的悲剧。而这，便是《维特》这部作品的价值和意义。

《维特》一问世，当即风靡了德国和整个西欧。广大青年不仅读它，而且纷纷摹仿主人公的穿戴打扮、风度举止，更有少数人学他而自杀了的。大诗人如克罗卜斯托克也为《维特》所倾倒，拿破仑读它甚至达七遍之多。与此同时，《维特》却遭到形形色色卫道士的诟骂，被斥为"淫书""不道德的该遭天谴的书"，等等，因此译本一出现在米兰，就被教会搜去全部销毁，在丹麦和德国的一些邦，也被宣布为禁书。但尽管如此，仍阻止不了《维特》的流传。它很快译成了各种语言文字，在英、法两国译本分别多达十数种，仿效之作也大量出现。

> 德国人摹仿我，法国人读我入迷，
> 英国啊，你殷勤接待我这个
> 憔悴的客人；
> 可于我又有何益哟，中国人

也用颤抖的手，把维特和绿蒂

画上了镜屏！

　　歌德这节诗，说的就是他对《维特》的广为流传所感到的矛盾心情。关于中国古瓷上出现维特与绿蒂画像的说法有好几起，较为可信的要数德国汉学家卫礼贤（Richard Wilhelm）在《歌德与中国文化》一文中所提到的。他写道："……在广州地方，特别为外国人预备瓷器，所谓客货的那类东西，上面的画图是照欧洲人的嗜好绘的，所以画上维特与绿蒂等人的像。"但不管这类传说是否可信，千真万确的却是在《维特》问世后一个半世纪的1922年，我国出版了郭沫若译的《少年维特之烦恼》，同样引起了巨大的反响。当时正处于反封建斗争中的一代中国青年，在《维特》中找到了知音。仅据1932年的一个不完全统计，十年间郭译《维特》已由不同书店重印了三十版之多。最近一些年，各种新译也层出不穷，包括1981年率先推出的拙译在内，各个时期的译本加在一起，数量更多达30种左右。以一部外国文学作品在中国产生影响之大和重译、重版次数之多论，《维特》恐怕是无与伦比的。

　　《维特》为什么能产生如此巨大的影响？

　　起决定作用的，首先应该是《维特》所具有的反封建的时代精神，也即上文已经指出过的，它表现了一个时代的烦恼、憧憬以及苦闷。关于这一点，歌德在其自传《诗与真》中说得十分明白："这本小册子的影响很大，甚至可以说轰动一时，主要就因为它恰在适当的时候出版的缘故。正如只须一点火药线就可引起一个地雷爆炸似的，当时青年的身上已埋藏有厌世的炸药，所以这本小册子在读者群众中引起的爆炸分外猛烈……"

　　等到欧洲进入十九世纪四十年代的革命高潮时期，《维特》

便不再时兴了。于是海涅在1842年写的《倾向》一诗中劝诗人"别再像维特那样呻吟，因为他的心只为绿蒂燃烧"。匈牙利革命诗人裴多菲更把《维特》贬得无以复加，干脆称维特是一个"没有骨气的傻瓜"。因为当时的青年不再是哭哭啼啼的厌世者，他们已成了举起剑与火焰来进行斗争的战士。

同样，《维特》在我国广为流传，也主要因为我国"五四"运动时期，与一个半世纪前的德国"狂飚突进"时期有不少类似之处。反对封建压迫、追求个性解放乃是不可阻遏的时代潮流。

其次，必须强调，艺术上的成功也是使《维特》产生巨大影响的重要原因。

歌德恰当地使用了第一人称的书信体，取得了突出的艺术效果。近百封长短书简组成了一个有机整体，前后加上"编者"的引言和按语，读起来使人感到真切可信。信里时而写景，时而抒情，时而叙事，时而议论，读着读着，我们仿佛就变成了收信人，听见了主人公的言谈笑语，啼泣悲叹。

郭沫若在《维特》译本序引中赞它是一篇散文诗。《维特》的确像抒情诗一样以情动人。小说情节并不复杂，但却扣人心弦，引人入胜。作者常常让主人公直抒胸臆，如维特那封在生命的最后两天断断续续写成的绝命书，真是有声有泪，哀惋凄绝。此外他还巧妙地用自然景物烘托情感，用荷马和莪相的诗句或诗中的意境渲染气氛。

"春风呵，你为何将我唤醒？……可是啊，我的衰时近了，风暴即将袭来，吹打得我枝叶飘零！明天，有位旅人将要到来，他是见过我的美好青春；他的眼儿将在旷野里四处寻觅，却不见我的踪影……"莪相的这几句哀歌，由即将离开人世的维特念出来，不正成了他自己的凄凉心境与悲惨命运的真切写照了吗？在《维特》中，类似这样能给人以诗的回味的段落，不胜枚举。

再有，小说的人物塑造也很出色。特别是青衣黄裤的翩翩少年维特，已成了世界文学中的著名典型，即那么一种"伟大而又渺小，可爱而又可鄙的怪人"（莱辛语）。

　　总的来说，强烈的时代精神加上卓越的艺术手法，赋予《维特》以爆炸似的震撼人心的力量，使它在世界各国千千万万的青年读者心中，引起了强烈的共鸣与回响。

杨武能

目录

Contents

关于可怜的维特的故事，凡是我能找到的，我都努力搜集起来，呈献在诸位面前了；我知道，诸位是会感谢我的。对于他的精神和品格，诸位定将产生钦慕与爱怜；对于他的命运，诸位都不免一洒自己的同情泪。

　　而你，正感受着与他同样烦恼的善良人呵，就从他的痛苦中汲取安慰，并让这本薄薄的小书做你的朋友吧，要是你由于命运的不济或自身的过错，已不可能有更知己的人的话。

第一编

一七七一年五月四日

我多高兴啊，我终于走了！好朋友，人心真不知是个什么东西！我离开了你，离开了自己相爱相亲、朝夕不舍的人，竟然会感到高兴！我知道你会原谅我。命运偏偏让我结识了另外几个人，不正是为了来扰乱我这颗心么？可怜的蕾奥诺莱！但我是没有错的。她妹妹的非凡魅力令我赏心悦目，却使她可怜的心中产生了痛苦，这难道怪得着我？然而——我就真的完全没有错吗？难道我不曾助长她的感情？难道当她自自然然地流露真情时，我不曾沾沾自喜，并和大家一起拿这原本不可笑的事情来取笑她么？难道我……？唉，这人啊真是一种惯会自怨自责的怪物！而我，亲爱的朋友，我向你保证，我一定改弦更张，绝不再像已往那样，总把命运加给我们的一点儿痛苦拿来反复咀嚼回味，而要乐享眼前，过去了的就让它过去。是的，好朋友，诚如你所说：人们要是不这么没完没了地运用想象力去唤起昔日痛苦的回忆——上帝才知道为什么把人造成这个样子——，而是多多考虑考虑如何挨过眼前的话，人间的痛苦本来就会少一些的。

劳驾告诉我母亲，我将尽力料理好她那件事，并尽快回信给她。我已见过我姑妈了，发现她远非我们在家所里讲的那么个刁婆子，而是一位热心快肠的夫人。我向她转达了我母亲对于扣下一部分遗产未分的不满；她则对我说明了这样做的种种理由和原因，以及要在什么条件下，她才准备全部交出来，也就是说比我们要求的还多……简单讲，我现在还不想具体谈什么。请转告我母亲，一切都会好起来的。就在这件小小的事情上，好朋友，我再次发现误解与成见，往往会在世界上铸成比诡诈与恶意更多的过错。至少可以肯定，后两者要罕见一些。

再就是我在此间非常愉快。这个乐园一般的地方，它的岑寂正好是医治我这颗心的灵丹妙药；还有眼前的大好春光，它的温暖已充满我这颗时常寒栗的心。每一株树，每一排篱笆上，都是繁花盛开；人真想变成一只金甲虫，到那馥郁的香海中去遨游，去尽情地吸露吮蜜。

城市本身并不舒适，四郊的自然环境却说不出的美妙。也许这才打动了已故的 M 伯爵，把他的花园建在一座小丘上。类似的小丘在城外交错纵横，千姿百态，美不胜收，丘与丘之间还构成一道道幽静宜人的峡谷。花园布局单纯，一进门便可感觉出绘制蓝图的并非某位高明的园艺家，而是一颗渴望独享幽寂的敏感的心。对于这座废园的故主人，我在那间业已破败的小亭中洒下了不少追怀的眼泪；这小亭子是他生前最爱待的地方，如今也成了我留连忘返的所在。不久我便会成为这花园的主人；没几天工夫看园人已对我产生好感，再说我搬进去也亏待不了他。

五月十日

一种奇妙的欢愉充溢着我的整个灵魂，使它甜蜜得就像我专心一意地享受着的那些春晨。这地方好似专为与我有同样心境的人创造的，我在此独自享受生的乐趣。我真幸福啊，朋友，我完全沉湎在对宁静生活的感受中，结果我的艺术便荒废了。眼下我无法作画，哪怕一笔也不成；尽管如此，我现在却比任何时候都更配称一个伟大的画家。每当我周围的可爱峡谷霞气蒸腾，杲杲的太阳悬挂在林梢，将它的光芒这儿那儿地偷射进幽暗密林的圣地中来时，我便躺卧在飞泉侧畔的茂草里，紧贴地面观察那千百种小草，感觉到叶茎间有个扰攘的小小世界——这数不尽也说不清的形形色色的小虫子、小蛾子——离我的心更近了，于是我感受到按自身模样创造我们的全能上帝的存在，感受到将我们托付于永恒的欢乐海洋之中的博爱天父的嘘息，我的朋友！随后，每当我的视野变得朦胧，周围的世界和整个天空都像我爱人的形像似地安息在我心中时，我便常常产生一种急切的向往，啊，要是我能把它再现出来，把这如此丰富、如此温暖地活在我心中的形像，如神仙似的呵口气吹到纸上，使其成为我灵魂的镜子，正如我的灵魂是无所不在的上帝的镜子一样，这该有多好啊！——我的朋友！——然而我真去做时却会招致毁灭，我将在壮丽自然的威力底下命断魂销。

五月十二日

不知是附近一带有愚弄人的精灵呢，还是我自己异想天开，竟觉得周围的一切都如乐园中一般美好。就在城外不远有一口井，我真像人鱼美露西娜①和她的姊妹似的迷上了它。——下了一座小丘，来到一顶凉棚前，再走下二十步石级，便可见大理石岩缝中涌出一泓清澈的泉水。那绕井而筑的矮墙，那浓荫匝地的大树，那井泉周围的清凉，这一切都有一股诱人的力量，令人怦

_____

① 美露西娜是法国民间传说中的美人鱼。她的故事后来流传到德国，收进了民间故事书中。

然心悸。我没有一天不去那儿坐上个把小时。常有城里的姑娘们来打水，这是一种最平凡又最必要的工作，古时候连公主们也亲自做过的。每当我坐在那儿，古代宗法社会的情景便活现在我眼前，我仿佛看见老祖宗们全聚在井泉边，会友的会友，联姻的联姻；而在井泉四周的空中，却飞舞着无数善良的精灵。呵，谁若无此同感，谁就必定从不曾在夏日的长途跋涉后，把令人神怡气爽的清泉啜饮。

五月十三日

你问须不须要寄书给我？——好朋友，我求你看在上帝分上，千万别再拿它们来烦扰我吧。我不愿意再被指导，被鼓舞，被激励；我这颗心本身已够不平静的了。我需要的是催眠曲；而我的荷马①，就是一首很长很长的催眠曲。为了使自己沸腾的血液冷静下来，我常常轻轻哼这支曲子；要知道你还不曾见过任何东西，像我这颗心似的反复无常，变化莫测哟，我的爱友！关于这点我对你无须解释；你不是已无数次地见过我从忧郁一变而为喜悦，从感伤一变而为兴奋，因而担惊受怕过？我自己也把我这颗心当作一个生病的孩子，对他有求必应。别把这话讲出去，传开了有人会骂我的。

五月十五日

本地的老乡们已经认识我，喜欢我，特别是那班孩子们。起初，我去接近他们，友好地向他们问这问那，他们中有几个还当

---

① 荷马，相传为公元前八世纪前后的希腊盲诗人，他的作品为史诗《伊利亚特》和《奥赛罗》。维特读的是后者。

我是拿他们开心，便想粗暴地打发走我。我并不气恼；相反只对一个我已多次发现的情况，有了切身的体会：某些稍有地位的人，总对老百姓采取冷淡疏远的态度，似乎一接近就会失去什么来着；同时又有一些轻薄仔和捣蛋鬼，跑来装出一副纡尊降贵的模样，骨子里却想叫穷百姓更好地尝尝他们那傲慢的滋味。

我清楚地知道，我与他们不是一样的人，也不可能是一样的人；但是，我认为谁如果觉得自己有必要疏远所谓下等人以保持尊严，那他就跟一个因为怕失败而躲避敌人的懦夫一样可耻。

最近我去井边，碰到一个年轻使女，见她把自己的水瓮搁在最低的一级台阶上，正在那儿东瞅瞅，西望望，等着同伴来帮助她把水瓮顶到头上去。我走下台阶，望着她。

"要我帮助你吗，姑娘？"我问。

她顿时满脸通红。

"噢不，先生！"她道。

"别客气！"

她放正头上的垫环，我便帮她顶好水瓮。她道过谢，登上台阶走了。

五月十七日

我已认识各式各样的人，但能做伴的朋友却还一个没交上。我不知道自己有什么吸引人的地方，他们那么多人都喜欢我，愿意与我亲近；而唯其如此，我又为我们只能同走一小段路而感到难过。你要是问这儿的人怎么样，我只能回答：跟到处一样！人类嘛，都是一个模子铸出来的。多数人为了生活，不得不忙忙碌碌，花去大部分时间；剩下一点点余暇却使他们犯起愁来，非想方设法打发掉不可。这就是人类的命运啊！

此地的人倒挺善良！我常常忘记自己的身份，和他们一起共享人类还保留下来的一些欢乐，或围坐在一桌丰盛的筵席前开怀畅饮，纵情谈笑，或及时举行一次郊游，一次舞会。等等这些，都对我的心境产生了很好的效果；只可惜偶尔我不免想起，我身上还有许多其他能力未能发挥，正在发霉衰朽，不得不小心翼翼地收藏起来。唉，一想到这一点，我的整个心就缩紧了。——可有什么办法！遭人误解，这便是我们这种人的命运。

可叹呵，我青年时代的女友已经去世！可叹呵，我曾与她相识！——我真想说："你是个傻瓜！你追求着在人世间找不到的东西。"可是，我确曾有过她，感到过她的心，她的伟大的灵魂；和她在一起，我自己仿佛也增加了价值，因为我成了我所能成为的最充实的人。仁慈的主呵！那时难道有我心灵中的任何一种能力不曾发挥么？我在她面前，不是能把我的心用以拥抱宇宙的奇异情感，整个儿抒发出来么？我与她的交往，不就是一幅不断用柔情、睿智、戏谑等织成的锦缎么？这一切上面，全留下了天才的印记呀！——唉，她先我而生，也先我而去。我将永远不会忘记她，不会忘记她那坚定的意志，不会忘记她那非凡的耐性。

几天前，我见过一个叫 V 的青年，为人坦率，模样儿长得也挺俊。他刚从大学毕业，虽说还不以才子自居，却总以为比别人多几分学问。我从一些事情上感觉出，他人倒勤奋，一句话，也有相当知识吧。当他听说我会画画，还懂希腊文——这在此间可算两大奇技，便跑来找我，把他渊博的学识一股脑儿抖搂了出来，从巴托①谈到伍德②，从德·俾勒③谈到温克尔曼④，并要我

---

① 巴托（Abbe Charles Batteux, 1713—1780），法国美学家，法国艺术哲学的奠基人。

② 伍德（Robert Wood, 1716—1771），英国著名荷马研究家。

③ 德·俾勒（Roger de Piles, 1635—1709），法国画家和美术理论家。

④ 温克尔曼（Johann Joachim Winkelmann, 1717—1768），德国考古学家和古代艺术史家。

相信他已把苏尔泽①的《原理》的第一卷通读过一遍，他还收藏有一部海纳②研究古典文化的手稿呢。对他的话我未置一词。

我还结识了一位很不错的男子，是侯爵在本城的总管，为人忠厚坦诚。据说，谁要看见他和他的几个孩子在一块儿，谁都会打心眼儿里高兴；尤其对他的大女儿，人家更是赞不绝口。他已邀请我上他家去，我也打算尽早前往拜访。他住在侯爵的猎庄上，离城约一个半小时路程；自妻子亡故以后，他住在城里和法院里都心头难受，便获准迁到猎庄去了。

此外，我还碰着几个怪人，一举一动都叫你受不了，尤其是他们的那股子亲热劲儿。

再谈吧！这封信你一定喜欢，它完完全全是纪实。

五月二十二日

人生如梦，这是许多人早已有过的感受；而我呢，到哪里也会生此同感。我常常看见人的创造力和洞察力都受到局限；我常常看见人的一切活动，都是为了满足某些需要，而这些需要除去延长我们可怜的生存，本身又毫无任何目的；临了儿，我还发现，人从某些探索结果中得到的自慰，其实只是一种梦幻者的怠惰，正如一个因居斗室的人，把四面墙壁统统画上五彩缤纷的形像与光辉灿烂的景物一般——这一切，威廉哟，都令我哑口无言。我只好回到自己的内心，去发现一个世界！为此又更多地依靠预感与朦胧的渴望，而不依靠创造与活力。这一来，一切对于我的感官都是游移不定的；我也如在梦里似的，继续对着世界微笑。

---

① 苏尔泽（Johann Georg Sulzer，1720—1779），瑞士美学家。
② 海纳（Christian Gottlob Heyne，1729—1812），德国古典语言学家和古希腊文学研究家。

　　大大小小的学究们一致断定，小孩儿是不知何所欲求的；岂止小孩儿，成人们还不是在地球上东奔西闯，同样不清楚自己打哪儿来，往哪儿去，同样干起事来漫无目的，同样受着饼干、蛋糕和桦木鞭子的支配。这个道理谁都不肯相信，但我想却是显而易见。

　　因为我知道你听了会说些什么，我乐于向你承认：我认为，那些能像小孩儿似的懵懵懂懂过日子的人，他们是最幸福的。他们也跟小孩儿一样拖着自己的布娃娃四处跑，把它们的衣服脱掉又穿上，穿上又脱掉，不然就乖乖儿围着妈妈藏甜点心的抽屉转来转去；终于如愿以偿了，便满嘴满腮地大嚼起来，一边嚷嚷着：还要！还要——这才是幸福的人啰。还有一种人，他们给自己的无聊勾当以至欲念想出种种漂亮称呼，美其名曰为人类造福的伟大事业；他们也是幸福的。——愿上帝赐福给这样的人吧！可是，谁要虚怀若谷，正视这一切将会有怎样的结果；谁要能看见每一个殷实市民如何循规蹈矩，善于将自己的小小花园变成天国，而不幸者也甘负重荷，继续气喘吁吁地行进在人生的道路上，并且人人同样渴望多见一分钟阳光——是的，谁能认识到和看到这些，他也会心安理得，自己为自己创造一个世界，并且为生而为人感到幸福。这样，他尽管处处受着限制，内心却永远怀着甜滋滋的自由感觉：因为只要他愿意，他随时可以离开这座监狱。

五月二十六日

　　你一向了解我的居住习惯，只要有个安静角落，便可建所小屋住下来，其他条件概不讲究。在此地我也发现了这么个对我有吸引力的所在。

它离城约一小时路程，地名叫瓦尔海姆①，坐落在一个山岗旁，地势颇为有趣。沿岗子上的小路往村里走，整个山谷尽收眼底。房东是位上了年纪的妇人，殷勤豁达，她斟出葡萄酒、啤酒和咖啡来请我喝。但最令我满意的，是两株大菩提树，只见它们挺立在教堂前的小坝子上，枝叶扶疏，绿荫映照，四周围着农家的住屋、仓房和场院。如此幽静、如此宜人的所在，实不易得，我便常常把房里的小桌儿和椅子搬到坝子上，在那儿饮我的咖啡，读我的荷马。头一次，在一个风和日暖的午后，我信步来到菩提树下，发现这地方异常幽静。其时人们全下地了，只有一个约莫四岁的小男孩，盘腿席地坐在坝子上，怀中还搂着个半岁光景的幼儿；他用自己的双腿和胸部，给自己的弟弟做了一把安乐椅。他静悄悄地坐着，一对黑眼睛却活泼泼地瞅来瞅去。我让眼前的情景迷住了，便坐在对面的一张犁头上，兴致勃勃地画起这小哥儿俩来。我把他们身后的篱笆、仓门以及几个破车轱辘也画上了，全都依照本来的顺序；一小时后，我便完成了一幅布局完美、构图有趣的素描，其中没有掺进我本人一丁点儿的东西。这个发现增强了我今后皈依自然的决心。只有自然，才是无穷丰富；只有自然，才能造就大艺术家。对于成法定则，人们尽可以讲许多好话，正如对于市民社会，也可以致这样那样的颂词一般。诚然，一个按法成定则培养的画家，绝不至于绘出拙劣乏味的作品，就像一个奉法唯谨的小康市民，绝不至于成为一个讨厌的邻居或者大恶棍；但是，另一方面，所有的清规戒律，不管你怎么讲，统统都会破坏我们对自然的真实感受，真实表现！你会讲："这太过分啦！规则仅仅起着节制与剔除枝蔓这样一些作用罢了！"——好朋友，我给你打个比方好吗？比如谈恋爱。一个

---

① 读者不必劳神去查考书里这些地名；编者出于无奈，已将原信中的真地名改掉了。（作者注）

青年倾心于一个姑娘，整天都厮守在她身边，耗尽了全部精力和财产，只为时时刻刻向她表示，他对她是一片至诚。谁知却出来个庸人，出来个小官僚什么的，对他讲："我说小伙子呀！恋爱嘛是人之常情，不过你也必须跟常人似的爱得有个分寸。喏，把你的时间分配分配，一部分用于工作，休息的时候才去陪爱人。好好计算一下你的财产吧，除去生活必需的，剩下来我不反对你拿去买件礼物送她，不过也别太经常，在她过生日或命名日时送就够了。"——他要听了这忠告，便又多了一位有为青年，我本人都乐于向任何一位侯爵举荐他，让他充任侯爵的僚属；可是他的爱情呢，也就完啦，倘使他是个艺术家，他的艺术也完啦。朋友们啊！你们不是奇怪天才的巨流为什么难得激涨汹涌，奔腾澎湃，掀起使你们惊心动魄的狂涛么？——亲爱的朋友，那是因为在这巨流的两边岸上，住着一些四平八稳的老爷，他们担心自己的亭园、花畦、苗圃会被洪水冲毁，为了防患于未然，已及时地筑好堤，挖好沟了。

五月二十七日

我看我讲得高兴，只顾打比方，发议论，竟忘了把那两个孩子后来的情况告诉你。我在犁头上坐了将近两个小时，完全沉醉在作画里；关于当时的心情，昨天我已零零碎碎向你谈了一些。傍晚，一位青年女子手腕挎着个小篮子，向着一直坐在坝子上没动的小孩子走来，老远就嚷着："菲利普斯，真乖啊！"——她向我问好，我说了谢谢，随后站起来，走过去，问她是不是孩子的妈妈。她回答"是"，一边给大孩子半个白面包，一边抱起小孩子，满怀母爱地亲吻着。——"我把小弟弟交给我的菲利普斯带，"她说，"自己跟老大一块儿进城买面包、糖和熬粥的砂锅去了。"——在她那掀开了盖子的提篮中，我看见了这些东

西。——"我打算晚上给咱汉斯（这是最小那个孩子的名字）熬点粥。我那老大是个淘气鬼，昨儿个跟菲利普斯争吃剩下的那点儿粥，把锅给砸啦。"——我问她老大现在何处，她回答在草地上放鹅；然而话音未了，他一蹦一跳地跑来，给他大弟弟带来了一根榛树鞭子。我继续和妇人闲聊，得知她是一位教员的闺女，丈夫为着承继一位堂兄的遗产，出门上瑞士去了。——"人家想骗他，"她说，"连信都不给他回，所以只好亲自跑一趟。他一点消息也没有，但愿别出什么事才好呵。"——和妇人分别时，我心情颇沉重，便给了小孩儿们一人一枚银毫子，此外再拿了一枚给他们的妈妈，请她下次进城时买个白面包回来，拿给最小的孩子和粥一块儿吃。随后便分了手。

告诉你，好朋友，每当我心烦意乱的时候，只要看见这样一个心平气和的人，我便可安定下来。这种人乐天知命，过一天是一天，看见树叶落时，只会想"冬天快到啦"，除此就别无思虑。

从那次以后，我常常出去。小孩子们都和我混熟了，在我喝咖啡时得到糖吃，傍晚与我一块儿分享黄油面包和酸牛奶。每逢礼拜天，我总给他们银毫子，即使做完弥撒我没回家，我也请房东太太代为分发给他们。

他们都信赖我，什么话都对我讲。每逢村里有更多小孩聚到我这儿来，玩得高兴，有什么愿望都径直表露的时候，我更是快活得什么似的。

孩子的母亲总担心"他们会打搅少爷"。我费了老大的劲，才打消了她的疑虑。

五月三十日

不久前我对你讲的关于作画的想法，显然也适用于写诗：诗人要做的只是发现美好的事物，并大胆地表达出来。此话说来诚然简单，含义却很深长。今天我见了一个场面，只要照实写下来，便可成为世间最美的一首田园诗。然而诗也罢，场面也罢，田园牧歌也罢，统统有什么意义呢？难道我们亲身经历自然现像还不够，还非得来一个依样画葫芦不可么？

听了这段开场白，要是你指望后面会有什么高见宏论，那你又上当了。使我这么大发感慨的，仅仅是一个青年农民罢了。——我跟往常一样，会讲得不好；而你也跟往常一样，我想，会认为我夸大其词。还是在瓦尔海姆，总是在瓦尔海姆；在这个地方，稀罕事可算层出不穷哩。

有一伙人聚在坝子里的菩提树下喝咖啡。我不太喜欢他们，便找个借口坐到了一边。

这当儿，从旁边的农舍中走出来个青年，在那里修理我曾经画过的那张犁。他的模样给我的印像不错，我于是和他拉话，打听起他的境况来。不多时，我俩已经熟了，而且按我与这类人打交道的习惯，立刻便无话不谈。他告诉我，他在一位寡妇家里当长工，主人家待他非常好。提起他的女东家，他就滔滔不绝，满口称赞，我马上看出，他对她已倾倒得五体投地，她已不很年轻，他说，由于受过丈夫的虐待，不准备再嫁人了。从他的言语间，我明显感觉出，她在他眼里是那样的美，那样的动人，他非常非常希望她能选中他，使他有机会帮她抹去她那前夫所留下的遗恨。要对你描述出这个人的倾慕、痴情和忠心，必须逐字逐句重复他的话。对，还必须具有最伟大的诗人的才分，才能绘声绘色地描述出他那神态表情，他那悦耳的嗓音，他那火热的目光。不！没有任何语言，能够表现出他的整个内心与外表所蕴藏的柔情；经我重述，一切都会变得淡而无味了。特别令人感动的是，他那样担心我会对他和她的关系产生想法，怀疑她的行为端正。当他讲到她的容貌，讲到她那虽已不再具有青春的诱惑力，但却强烈吸引着他的身段时，他的神情更是感人，我唯有在自己心灵深处去体会，去重温。如此纯洁的爱恋，如此纯洁的渴慕，我在一生中从未见过，是的，也许可以讲，连想也不曾想过，梦也不曾梦过。请别骂我，要是我告诉你，当我回忆起这个真挚无邪的恋人来时，我自己心中也热血沸腾，眼前便随时出现一个忠贞妩媚的情影，仿佛我也跟着燃烧起来，害起了如饥似渴的相思。

我现在渴望尽快见到她；或者不，仔细考虑之下，我想避免和她见面。通过她情人的眼去看她，岂不更好；她要真来到我面前，也许就不再如我眼下想象的样子，我又何必破坏这美的形像呢？

六月十六日

我干吗久不给你写信？——你提这个问题，想必也变成一位老学究了吧！你应该猜想到，我过得很好，好得简直……干脆告诉你吧，我认识了一个人，她使我无心他顾了。我已经……叫我怎么说好呢。

要把认识这个最可爱的人儿的经过有条不紊地告诉你，在我将是困难的。我快乐而又幸福，因此不能成为一位好小说家。

一位天使！——得！谁都这么称呼自己的心上人，不是吗？可我无法告诉你她有多么完美，为什么完美；一句话，她完全俘虏了我的心。

那么聪敏，却那么单纯；那么坚毅，却那么善良；那么勤谨，却那么娴静……

我讲的全是些废话，空空洞洞，俗不可耐，丝毫没反映出她的本来面目。等下次……不，不等下次。我现在立刻对你讲她。我现在要不讲，就永远别想讲了。要知道，我坦白告诉你，在开始写这封信以后，我已经三次差点儿扔下笔，让人给马装上鞍子，骑着跑出去了。不过我今天早上已经发过誓不出去，只是仍时不时地跑到窗前，看太阳还有多高，是不是……

我到底没能克制住自己，我非去她那儿不可啊。这会儿我又坐下来，一边吃黄油面包当夜宵，一边给你，威廉，继续写信。当我看见她在那一群活泼的孩子中间，在她的八个弟妹中间，我的心是何等欣喜啊！

倘使我继续这么往下写，到头来你仍然会摸不着头脑的。听着，我要强迫自己详详细细地把一切告诉你。

不久前我说过，我认识了总管 S 先生，他曾邀请我尽快去他的隐居所，或者说他的小王国做客。我呢，却把这件事拖了下来；要不是一个偶然的机会，让我发现了那密藏在幽谷中的珍宝，我没准儿永远也不会去。

此间的年轻人在乡下举办一次舞会，我也欣然前往参加。事前，我答应了本地一位心地善良、长相尚好，除此便不怎么样的姑娘的邀请，并已商定由我雇一辆马车，带着我这舞伴和她表姐一起出城去聚会地点，顺道儿还接一接 S 家的夏绿蒂。

"您将认识一位漂亮小姐呐。"当我们的马车穿过砍伐过的森林向猎庄驶去的时候，我的舞伴开了口。

"不过您得当心，"她的表姐却说，"可别迷上了她呀！"

"为什么？"我问。

"她已经许了人，"我的舞伴回答，"一个挺不错的小伙子，眼下不在家，他的父亲去世了，他去料理后事，顺便谋个体面的职务。"

这个消息在我听来是无所谓的。

我们到达猎庄大门前的时候，太阳还有一刻钟光景便要下山了。其时天气闷热，姑娘们都表示担心，说那四周天边的灰白色云朵要是酿出一场暴雨来，那可就煞风景了。我摆出一副精通气像学的架势来安慰她们，其实自己心中也开始预想到，我们的舞会将要扫兴的。

　　我下了马车，一名女仆赶到大门口来请我们稍等一会儿，说小姐她马上就来。我穿过院子，走向那建筑得很讲究的住屋。就在我上了台阶、跨进门去的当儿，一幕我见所未见的最动人的情景，映入了我的眼帘。在前厅里有六个孩子，从十一岁到两岁，大的大，小的小，全都围着一个模样娟秀、身材适中、穿着雅致的白裙、袖口和胸前系着粉红色蝴蝶结儿的年轻女子。她手里拿着一个黑面包，按周围弟妹的不同年龄与胃口，依次切给他们大小不等的一块；她在把面包递给每一个孩子时都那么慈爱，小家伙们也自自然然地说一声：谢谢！不等面包切下来，全都高擎着小手在那儿等。而眼下，又一起津津有味地吃起来，一边按照各自不同的性格，有的飞跑到大门边，有的慢吞吞地踱过去，好看一看客人们，看一看他们的绿蒂姐姐将要乘着出门去的那辆马车。

　　"请原谅，"她说，"劳您驾跑进来，并让姑娘们久等。我刚才换衣服和料理不在家时要做的一些事情，结果忘了给孩子们吃晚餐。他们可是除我以外谁切的面包也不肯吃啊。"

　　我略微客套了两句，我的整个心灵都让她的形象、她的声音、她的举止给占据了。直到她跑进里屋去取手套和扇子，我才从惊喜中回过神儿来。小家伙们都远远地站在一旁瞅着我；我这时便朝年龄最小，模样儿也最俊的一个走过去，可他却想退开。

　　"路易斯，跟这位哥哥握手。"这当儿绿蒂正好走进门来，说道。

　　小男孩于是大大方方把手伸给我，我忍不住热烈地吻了他，虽然他那小鼻头儿上挂着鼻涕。

　　"哥哥？"我问，同时把手伸给她，"您真认为，我有配作您亲眷这个福分么？"

　　"噢，"她嫣然一笑，说，"我们的表兄弟多着哩。要是您是其中顶讨厌的一个，那我就遗憾啦。"

临走，她又嘱咐她的大妹妹索菲——一个约莫十一岁的小姑娘，好好照看弟妹，并在爸爸骑马出去散心回来时向他问安。她还叮咛小家伙们要听索菲姐姐的话，把索菲当作就是她一般。几个孩子满口答应，可有个满头金发、六岁光景的小机灵鬼却嚷起来："她不是你，绿蒂姐姐，我们更喜欢你嘛。"

这其间，最大的两个男孩已经爬到马车上；经我代为求情，她才答应他俩一块儿乘坐到林子边，条件是保证不打不闹，手一定扶牢。

我们刚一坐稳，姑娘们便寒暄开了，并品评起彼此的穿着，特别是帽子来，还对即将举行的舞会，作了一番挑剔。正讲在兴头上，绿蒂已招呼停车，让她的两个弟弟下去。小哥儿俩却要求再亲亲她的手。大的可能有十五岁，在吻姐姐的手时彬彬有礼；小的则毛毛躁躁，漫不经心。绿蒂让他俩再次问候小弟妹们，随后车又开了。

表姐问，绿蒂有没有把新近寄给她的那本书读完。

"没有，"绿蒂说，"这本书我不喜欢，您可以拿回去了。上次那本也不见得好看多少。"

我问是怎样的书，她回答了我，令我大吃一惊……①我从她的所有谈吐中都发现她是那样有个性；每听她讲一句，我都从她的脸庞上发现新的魅力，新的精神光辉。渐渐地，这张脸庞似乎更加愉快和舒展了，因为她感觉到，我是理解她的。

"当我年纪还小的时候，"她说，"我什么也不爱读，就爱读小说。礼拜天总躲在一个角落里，整个心分担着燕妮姑娘②的喜怒哀乐。上帝知道我当时有多幸福呵。我不否认，这类书对我仍有某些吸引力。可是，既然眼下我很少有工夫再读书，那我读的

———————

① 为了不给谁发怨言的机会，编者被迫删去了一段；尽管从根本上讲，任何作家都不会在乎这个姑娘和那个青年对他是如何评论的。(作者注)
② 燕妮姑娘是一部当时流行的感伤主义小说的女主人公。

书就必须十分对我的口味。我最喜欢的作家必须让我能找到我的世界，他书里写的仿佛就是我本人，使我感到那么有趣，那么亲切，恰似在我自己家里的生活，它虽然还不像天堂那么美好，整个看来却已是一种不可言喻的幸福的源泉。"

听了这番议论，我好不容易才隐藏住自己的激动。这局面自然没有维持多久，因为一听她顺便提到了《威克菲牧师传》① 以及……②竟谈得那样有真知灼见，我便忘乎所以，把自己知道的和盘托出，讲啊讲啊，直到绿蒂转过头去和另外两位姑娘搭讪，我才发现她俩瞪大了眼睛，在那儿坐冷板凳。表姐还不止一次地对我做出嗤之以鼻的样子，我也全不介意。

话题转到了跳舞的乐趣上。

"就算这种爱好是个缺点吧，"绿蒂说，"我也乐于向您们承认，我不知道有什么比跳舞更好的了。有时候我心头不痛快，可只要在我那架破钢琴上弹支英国乡村舞曲，便一切都忘了。"

谈话间，我尽情地欣赏她那黑色的明眸：我整个的魂魄，都让她那活泼伶俐的小嘴与鲜艳爽朗的脸庞给摄走了！她隽永的谈吐完全迷醉了我，对于她用些什么词我也就顾不上听了！——你该想象得出当时的情形，因为你了解我。简单讲，当马车平稳地停住在聚会的别墅前，我走下车来已经像个梦游者似的，神魂颠倒，周围朦胧中的世界对我已不复存在，就连从上面灯火辉煌的大厅中迎面飘来的阵阵乐声，我也充耳不闻。

两位先生，奥德兰和某某，——谁记得清这许多名字啊！——一位是表姐的舞伴，一位是绿蒂的舞伴，赶到车边来迎

---

① 《威克菲牧师传》（The Vicar of Wakefield）是英国著名作家哥尔斯密（Oliver Goldsmith，1728-1774）的一部小说，歌颂朴实自然的田园生活，在当时的德国很受欢迎。

② 此处也删去了几位本国作家的名字。因为谁能得到绿蒂的赞赏，他一读这段话心中便自有所感；而局外人则谁也无须知道。（作者注）

接我们，各人挽住了自己的女友。我也领着我的舞伴，朝上面大厅走去。

大伙儿成双成对地旋转着，跳起了法国牟涅舞；我依次和姑娘们跳，最讨厌的偏偏最不肯放你走。后来，绿蒂和她的舞友跳起了英国乡村舞；在轮到她来和我们交叉的一刹那，你想想我心里是如何美滋滋的哟。看她跳舞真叫大饱眼福！你瞧，她跳得那么专心，那么忘我，整个身体和谐之极。她无忧无虑地跳着，无拘无束地跳着，仿佛跳舞就是一切，除此便无所思，无所感似的；此刻，其他任何事物都在她眼前消失了。

我请她跳第二轮英国乡村舞，她答应第三轮陪我跳，同时以世间最可爱的坦率态度对我说，她最爱跳德国华尔兹舞了。

"本地时兴跳华尔兹舞时原配伴当继续一起跳，"她说，"只是我的 Chapeau（法语：舞伴）华尔兹跳得太糟，巴不得我免除他这个义务。您的小姐跳得也不好，又不喜欢跳；我从刚才跳英国舞看出，您的华尔兹准不错。要是您乐意陪我跳的话，那您就去请我的对手同意，我也找您的小姐说说。"

我一听便握住她的手。这样，我们便谈妥了，在跳华尔兹舞时，由她的男舞伴陪着我的女舞友闲谈。

喏，开始！我俩用各种方式挽着手臂，以此开心了好一会儿。瞧她跳得有多妩媚，多轻盈啊！华尔兹舞开始了，一双双舞伴转起圈来跟流星一般快，其实真正会的人很少，一开头场上便有点乱糟糟的。我们很机灵，先让那班笨蛋们蹦够了，退了场，才跳到中间去，和另外一对儿也就是奥德兰他们在一起，大显起身手来。我从没跳得如此轻快过，简直飘飘欲仙。手臂搂着个无比可爱的人儿，带着她轻风似的飞旋，周围的一切都没有了，消失了……威廉哟，凭良心说，我敢起誓，我宁可粉身碎骨，也绝不肯让这个我爱的姑娘，我渴望占有的姑娘，在和我跳过以后还去和任何人跳呵。你理解我么！

　　我们在大厅中漫步了几圈，为了喘口气。随后她坐下来，很高兴地吃着我特意摆在一边、如今已是所剩不多的几个橘子。这橘子可算帮了大忙。只是当她每递一片给她邻座的姑娘，这姑娘也老大不客气地接过去吃起来时，我的心都像被刀刺了一下似的疼痛。

　　在跳第三轮英国乡村舞时，我们是第二对。我俩跳着从队列中间穿过，上帝知道我是多么快活。我勾着她的胳膊，眼睛盯住她那洋溢着无比坦诚、无比纯洁的欢愉的盈盈秋波；不知不觉间，我们跳到了一位夫人面前。她年纪虽已不轻，然而风韵犹存，因而引起过我的注意。只见她笑吟吟地瞅着绿蒂，举起一个手指头来，像要发出警告似的，并在我们擦过她身旁时意味深长地念了两次阿尔伯特这个名字。

　　"谁是阿尔伯特？"我对绿蒂说，"我想冒昧问一下。"

　　她正待回答，我们却不得不分开，以便作 8 字交叉。可是，在我和她擦身而过的瞬间，我恍惚看见她额头上泛起了疑云。

　　"我有什么不能告诉您呢？"她一边伸过手来让我牵着徐徐往前走，一边说，"阿尔伯特是个好人，我与他可以说已经订婚了。"

　　本来这对我并非新闻，姑娘们在路上已告诉过我了；可是经过刚才的一会儿工夫，她对我变得已如此珍贵，此刻再联系着她来想这事，我就感到非同小可了。总而言之，我心烦意乱，忘乎所以，竟蹿进了别的对儿中，把整个队列搅得来七零八落，害得绿蒂费尽心力，又拉又拽，才迅速恢复了秩序。

　　舞会还没完，天边已经电光闪闪，隆隆的雷声盖过了音乐声。闪电是我们早看见了的，可我一直解释说，只不过天要转凉罢了。这当儿三个姑娘逃出了队列，她们的舞伴尾随其后，秩序便顿时大乱，伴奏也只好停止了。不消说，人在纵情欢乐之际突遭不测与惊吓，那印象是比平时来得更加强烈的；因为，一方面，两相对照，使人感觉更加鲜明，另一方面和更主要的，我们的感官本已处于亢奋状态，接受起印象来也更快。这就难怪好些姑娘一下子都吓得脸变了色。她们中最聪明的一个坐到屋角里，背冲窗户，手捂耳朵。另一个跪在她跟前，脑袋埋在她怀中。第三个挤进她俩中间，搂着自己的女友，泪流满面。有几个要求回家；另一些则更加不知所措，连驾驭我们那些年轻趋奉者的心力都没有了，只知道战战兢兢地祈祷上帝，结果小伙子们便放肆起来，全忙着用嘴去美丽的受难者唇边代替上帝接受祷告。有几位先生偷闲到下边抽烟去了；其余的男女却都赞成聪明的女主人的提议，进到了一间有百叶窗和窗幔的屋子里。刚一进门，绿蒂便忙着把椅子排成一个圆圈。大伙儿应她的请求坐定了，她便开始讲解做一种游戏的要领。

我瞅见有几个小伙子已经尖起嘴唇，手舞足蹈，盼望着去领胜利者的厚赏了。

"喏，咱们玩数数游戏，"绿蒂说，"注意！我在圈子里从右向左走，同时你们就挨个儿报数，每人要念出轮到他的那个数目字，而且要念得飞快，谁如果结巴或念错了，就吃一记耳光，这么一直念到一千。"

这一来才叫好看喽！只见绿蒂伸出胳膊，在圈子里走动起来。头一个人开始数一，旁边一个数二，再下一个数三，依次类推。随后绿蒂越走越快，越走越快。这当儿有谁数错了，"啪"——一记耳光；旁边的人忍俊不禁，"啪!"——又是一记耳光。速度更其加快了。我本人也挨了两下子；使我打心眼儿里满意的是，我相信我挨的这两下子比她给其他人的还要重些。可不等数完一千，大伙儿已笑成一堆，再也玩不下去了。这时暴风雨业已过去，好朋友们便三三两两走到一边，我便跟着绿蒂回到大厅。半道儿上她对我说：

"他们吃了耳光，倒把打雷下雨什么的一股脑儿忘记啦!"

我无言以对。

"我也是胆儿最小的一个，"她接着说，"可我鼓起勇气来给别人壮胆，自己也就有胆量了。"

我们踱到一扇窗前。远方传来滚落雷声，春雨唰唰地抽打在泥地上，空气中有一股扑鼻的芳香升腾起来，沁人心脾。她胳膊肘支在窗台上伫立着，目光凝视远方，一会儿仰望苍空，一会儿又瞅瞅我；我见她眼里噙着泪花，把手放在了我的手上。

"克罗卜斯托克呵！"她叹道。

我顿时想到了此刻萦绕在她脑际的那首壮丽颂歌①，感情也因之澎湃汹涌起来。她仅仅用一个词儿，便打开了我感情的闸门。我忍不住把头俯在她手上，喜泪纵横地吻着。随后我又仰望她的眼睛。——高贵的诗人呵！你要是能看到你在这目光中变得有多神圣，就太好了；从今以后，我不再愿从那班常常亵渎你的人口里，听见你的名字。

六月十九日

前一次讲到哪儿，我已不记得了；我只知道，我上床睡觉已是午夜两点。要是我能当面和你聊聊，而不是写信，我没准儿会让你一直坐到天亮的。

舞会归来途中发生的情况，我还没有讲，今天也仍然不是讲的时候。

那正是旭日东升、壮丽无比的时刻。周围的树林挂满露珠儿，田野一片青翠！我们的两位女伴打起盹儿来。绿蒂问我，我是否也想像她俩似的迷糊一下，并说，我不用操心她。

---

① 克罗卜斯托克（Friedrich Gottlieb Klopstock，1724—1803），歌德之前最杰出的德国抒情诗人。"壮丽颂歌"指他的《春祭颂歌》（Die Frühlingsfeier）。

"多会儿我看见这双眼睛睁着,"我目不转睛地望着她道,"多会儿我就不会困倦。"

这样,我俩便坚持到了她家的大门口。女仆轻轻地为她开了门,回答她的询问说,父亲和孩子们都好,眼下还全在睡觉。临别,我求她允许我当天再去看她,她也同意;过后我果然去了。自此,日月星辰尽可以安安静静地升起又落下,我却再也分不清白天和黑夜,周围的整个世界全给抛到了脑后。

六月二十一日

我过着极其幸福的日子,上帝能留给他那些圣徒们过的日子,想来也不过如此吧。不管我将来会怎样,反正我不能再说,我没有享受过欢乐,没有享受过最纯净的生之乐趣。——你是了解我的,威廉;我在这儿已完全定居下来,此处离绿蒂家只有半小时路程,在这儿我才充分感觉到自身的存在以及作为一个人所能享有的全部幸福。

过去我也曾一次次地到瓦尔海姆散步,但何尝想到它竟然离天国这么近!我在作长距离漫游的途中,有时从山顶上,有时从河对岸的平野里,不是已无数次地眺望过如今珍藏着我的全部希望的猎庄么!

亲爱的威廉,对于人们心中那种想要自我扩张,想要发现新鲜事物,想要四处走走、见见世面的欲望,我曾经考虑得很多很多;后来,对于他们的逆来顺受,循规蹈矩,对周围任何事情都漠不关心的本能,我又作了种种思索。

真美啊,我能来到这儿的小丘上,眺望那道美丽的峡谷,那周围的景物竟是如此地吸引着我。——那儿有一座小小的树林!——你要能到林荫中去有多好!——那儿有一座高高的山峰!——你要能从峰顶俯瞰辽阔的原野有多好!——那儿有连绵的丘陵，幽静的沟壑，你要能徜徉其中，流连忘返有多好！

我匆匆赶去，去而复返，却不曾找到我所希望的东西。呵，对远方的希冀犹如对未来的憧憬！它像一个巨大的、朦胧的整体，静静地呈现在我们的灵魂面前，我们的感觉却和我们的视觉一样，在它里边也变得迷茫模糊了；但我们仍然渴望着，唉！渴望着献出自己的整个生命，渴望着让那唯一的伟大而奇妙的感情来充溢自己的心。——可是，当我们真的赶上去，当那儿成了这儿，当未来的一切仍一如既往，唉！我们就发现自己仍然平庸，仍然浅陋；我们的灵魂仍然焦渴难当，切盼着吸吮那已经流走了的甘霖。

这样，浪迹天涯的游子最终又会思恋故土，并在自己的茅屋内，在妻子的怀抱里，在儿女们的簇拥下，在为维持生计的忙碌操劳中，找到他在广大的世界上不曾寻得的欢乐。

清晨，我随日出而出，去到我的瓦尔海姆，在那儿的菜园中采摘豌豆荚，采够了就隐坐在地上撕去荚儿上的筋，边撕边读我的荷马。回到厨下，我又挑选一只锅子，切下一块黄油，把黄油和豆荚一块儿倒进锅中，把锅炖在炉子上，盖好盖儿，自己坐在一旁，时不时地把锅里的豆荚搅两下——这当儿，珀涅罗珀①那些高傲的求婚者们屠牛宰猪、剔骨烹肉的情景，便栩栩如生地让我体验到了。感谢上帝，古代宗法社会的特殊生活习俗竟如此自然地与我的生活交融在一起，这比什么都更使我心中充满了宁贴与踏实的感觉。

我真快活哟，我的心竟还能感受到一个人将自己种的蔬菜端上饭桌来时那种纯真的欢乐；此刻摆在你面前的，可不仅仅是这么棵卷心菜啊，那栽插秧苗的美丽清晨，那洒水浇灌的可爱黄

---

① 珀涅罗珀是荷马史诗《奥德赛》中主人公俄底修斯的妻子，她美丽聪明，以计谋战胜了无耻的追求者，一直等到丈夫归来。

昏，所有那些为它的不断生长而满怀欣喜的好时光，统统都在一瞬间让你再次享受到了。

六月二十九日

前天，本地的大夫从城里来到总管家，正碰上我和绿蒂的弟妹们一起蹲在地上玩儿。他们有的在我身上爬来爬去，有的对我进行挑逗，我便搔起他们的痒痒来，乐得小家伙们大笑大嚷。大夫是个木头人似的老古板，一边说话一边不住地整理袖口上的绉边，把里面的一个丝卷儿拨来拨去。我从他先生的鼻子上看出来，他显然认为像我这样是有失一个聪明人的尊严的。我装作没有看见，任随他去大发他那十分明智的议论，自己却继续帮孩子们搭被他们打垮了的纸牌房子。事后，他回到城里去四处诉说："总管的孩子们本来就够没教养的，这一来更让维特给全毁喽。"

是的，威廉，在这个世界上离我的心最近的是孩子们。每当我从旁观察他们，从细小的事情中发现他们有朝一日所需要的种种品德与才能的萌芽，从他们今日的固执任性中看出将来的坚毅与刚强，从今日的顽皮放肆中看出将来的幽默乐观以及轻松愉快地应付人世危难的本领，每当我发现这一切还丝毫未经败坏，完整无损，我便一次一次地，反反复复地，吟味人类的导师①这句金言："可叹呀，你们要是不能变成小孩子的样子！"然而他们，好朋友，这些我们的同类，这些本应被我们视为楷模的人，我们对待他们却像奴隶，竟不允许他们有自己的意志！——我们难道没有自己的意志吗？我们凭什么该享受这个特权呢？——因为我

---

① 指耶稣。事见《圣经·新约·马太福音》第十八章：耶稣对门徒们说："你们若不回转，变成小孩子的样子，断不得进天国。"

年长一些，懂事一些！——你天国中的仁慈上帝呵，你可是把人类仅仅分成年长的孩子和年幼的孩子的；至于你更喜欢哪一类孩子，你的圣子可已早有宣示呀。然而人们尽管信奉他，却并不听他的话——这也是个老问题！——因而都在照着自己的模样教育自己的孩子……

再见，威廉！我不想再就这个问题空谈下去。

七月一日

一个病人多么需要绿蒂，我自己这颗可怜的心已经深有所感；它比起一个呻吟病榻者来说，情况还更糟糕些。绿蒂要进城几天，去陪一位生病的夫人，据医生讲，这位贤慧的夫人离死已经不远，临终时刻，她渴望绿蒂能待在自己身边。

上个礼拜，我曾陪绿蒂去圣××看一位牧师；那是个小地方，要往山里走一个小时，我们到达的时候已快下午四点了。绿蒂带着她的第二个妹妹。我们踏进院中长着两株高大的胡桃树的牧师住宅，这当儿善良的老人正坐在房门口的一条长凳上，一见绿蒂便抖擞精神，吃力地站起身，准备迎上前来，连他那树节疤手杖也忘记使了。绿蒂赶忙跑过去，按他坐到凳子上，自己也挨着老人坐下，一次又一次地转达父亲对他的问候，还把他那老来得的宝贝幺儿——一个肮脏淘气的小男孩抱在怀中。她如此地迁就老人，把自己的嗓门提得高高的，好让他那半聋的耳朵能听明白她的话；她告诉他，有些年纪轻轻，身强力壮的人不知怎么一下子就死了；她称赞老人明年去卡尔斯巴德的决定，说洗温泉浴对身体大有好处；她声称，他比她上次见着时气色好得多，精神健旺得多——如此等等。威廉，你要能亲眼看见才好喽。这其间，我也有礼貌地问候了牧师太太。老爷子真是兴致勃勃，我只忍不住夸赞了他那两株枝叶扶疏、浓荫宜人的胡桃树几句，他便打开了话匣子，尽管口齿不灵，却滔滔不绝地讲述起这树的历史来。

"那株老树是谁种的，"他说，"我们已不知道了；一些人讲这个牧师，另一些人讲那个牧师。可靠后边这株年轻点的树，它和我老伴一般大，今年十月就满五十喽。她父亲早上栽好树苗儿，傍晚她就下了地。他是我的前任，这株树对他真有说不出的珍贵，而对我也一点儿不差。二十七年前，当时我还是个穷大学生，第一次踏进这座院子就看见我妻子坐在树荫下的栅木上，手中干着编织活计……"

绿蒂问起他的女儿，他回答，和施密特先生一起到草地上看工人们干活儿去了。说完，他又继续讲起自己的故事来：他的前任及其闺女如何相中了他，他如何先当老牧师的副手，后来又继承了他的职位。故事不久就讲完了，这当儿牧师的女儿正和那位施密特先生穿过花园走来。姑娘亲亲热热地对绿蒂表示欢迎；我必须说，她给我的印象不坏，是个体格健美、生气勃勃的褐发女郎，和她一起住在乡下大概会很快乐的。她的爱人呢（须知施密特先生是立刻就这样自我介绍的），是个文雅然而却沉默寡言的人，尽管绿蒂一再跟他搭腔，他却不肯参加我们的谈话。最令我扫兴的是，我从他表情中隐隐看出，他之不肯轻易开口，与其说是由于智力不足，倒不如说是由于性情执拗和乖僻。可惜后来这点是再清楚不过的了；当散步中弗莉德里克和绿蒂偶尔也和我走在一起的时候，这位老兄那本来就黝黑的面孔更明显地阴沉下来，使绿蒂不得不扯扯我的衣袖，暗示我别对弗莉德里克太殷勤。我平生最讨厌的莫过于人与人之间相互折磨了，尤其是生命力旺盛的青年，他们本该坦坦荡荡，乐乐呵呵，实际上却常常板起面孔，把仅有的几天好时光也彼此给糟蹋掉，等到日后省悟过来，却已追悔莫及。我心头不痛快；因此傍晚，我们走进牧师住的院子，坐在一张桌旁喝牛奶，当话题转到人世间的欢乐与痛苦上来的当儿，我便忍不住抢过话头，激烈地批评起某些人的乖僻来。

"我们人呵，"我开口道，"常常抱怨好日子如此少，坏日子如此多；依我想来，这种抱怨多半都没有道理。只要我们总是心胸开阔，享受上帝每天赏赐给我们的欢乐，那么，我们也会有足够的力量承担一旦到来的痛苦。"

"不过我们也无力完全控制自己的感情呀，"牧师太太说，"肉体的影响太大了，一个人要是身体不舒服，他到哪儿也感到不对劲儿的!"

我承认她讲得对，但继续说：

"那我们就把性情乖僻也看成一种疾病，并且问，是不是有办法治它呢?"

"这话不假，"绿蒂说，"我至少相信，我们自己的态度是很重要的。我有切身的体会：每当什么事使我厌烦，使我生气，我便跑出去，在花园里来回走走，哼几遍乡村舞曲，这一来烦恼就全没了。"

"这正是我想讲的，"我接过话头道，"乖僻就跟惰性一样，要知道它本来就是一种惰性呵。我们生来都是有此惰性的，可是，只要我们能有一次鼓起勇气克服了它，接下去便会顺顺当当，并在活动中获得真正的愉快。"

弗莉德里克听得入了神；年轻人却反驳我说，人无法掌握自己，更甭提控制自己的感情。

"此地说的是令人不快的感情，"我回敬他，"这种感情可是人人乐于摆脱的哩；何况在不曾尝试之前，谁也不知道自己的力量有多大。可不是吗，谁生了病都会四处求医，再多的禁忌，再苦的汤药，他都不会拒绝，为的是得到所希望的健康。"——我发现诚实的老人也竖起耳朵，努力在听我们谈话，便提高嗓门，转过脸去冲着他接着往下讲。——"教士们在布道时谴责过那么多种罪过，"我说，"我却从来不曾听到有谁从布道坛上谴责过坏脾气①。"

"这事得由城里的牧师去做，"老人说，"乡下人没有坏脾气。当然，偶尔在这儿讲讲也无妨，至少对村长先生和他夫人是有好处的。"

在场的人全笑了，他自己也笑得咳嗽起来，使谈话中断了好一阵。后来，是年轻人又开了口。

"您称乖僻是罪过，我想未免太过分吧。"

"一点不过分，"我回答，"既然害己又损人，就该称作罪过。难道我们不能使彼此幸福还不够，还必须相互夺去各人心中偶尔产生的一点点快乐么？请您告诉我有哪一个人，他性子很坏，同时却有本领藏而不露，仅仅自苦，而不破坏周围人们的快乐呢！或者您能够说，这坏脾气不正表现了我们对自己的卑微的懊丧，表现了我们自己对自己的不满，而且其中还掺杂着某种由愚蠢的虚荣刺激起来的嫉妒么？要知道看见一些幸福的人而这些人的幸福又不仰赖于我们，是够难受的呵。"

见我们争得这么激动，绿蒂冲我微微一笑；可弗莉德里克眼里却噙着泪水，使我讲得更来劲儿了：

"有种人利用自己对另一颗心的控制力，去破坏人家心里自行产生的单纯的快乐，这种人真可恨。要知道世间的所有礼物，所有的甜言蜜语，也补偿不了我们顷刻间失去的快乐，补偿不了被我们的暴君的嫉妒所破坏了的快乐哟。"

---

① 关于这个题目，我们听拉瓦特尔。神父做过一次出色的布道，他顺便还谈到了《约拿书》。（作者注）

拉瓦特尔（Johann Kaspar Lavater，1741—1801），瑞士神学家和哲学家，歌德的好友。作者注指的是他题名为《克服不满和乖僻之方法》的布道文。

《约拿书》是基督教圣经《旧约》的一部分。

说到此，我的心一下子整个充满了感慨，往事一桩桩掠过脑际，热泪涌进眼眶，不禁高呼起来：

"我们应该每天对自己讲：你只能对朋友做一件事，即让他们获得快乐，使他们更加幸福，并同他们一起分享这幸福。当他们的灵魂受着忧愁的折磨，为苦闷所扰乱的时候，你能给他们以点滴的慰藉么？

"临了儿，当最可怕的疾病向那个被你葬送了青春年华的姑娘袭来，她奄奄一息地躺在床上，目光茫然地仰望天空，冷汗一颗颗地渗出额头，这时候，你就会像个受诅咒的罪人似的站在她床前，无能为力，一筹莫展，心中感到深深的恐惧与内疚，恨不得献出自己的一切，以便给这个垂死的生命一点点力量，一星星勇气。"

说着说着，我亲身经历过的这样一个情景便猛然闯进我的记忆。我掏出手帕来捂住眼睛，离开了众人，直到绿蒂来唤我说："咱们走吧！"我才恍如大梦初醒。归途中，她责怪我对什么事都太爱动感情，说照此下去我会毁了的，要我自己珍惜自己！——天使呵，为了你的缘故，我必须活下去！

七月六日

她仍然待在自己病危的女友身边，始终如一地服侍着她，又细心又温柔，单单让她看上一眼，病人就会减少痛苦，变得幸福。昨天傍晚，她领着玛莉安娜和玛尔馨出外散步，我听说后赶去追上了她。在一块儿溜达了一个半小时，我们才转身往城里走，到了那眼对我十分珍贵的井泉边。如今，它对我又增加了一千倍的价值。绿蒂在井垣上坐了下来，我们站在她跟前。我环顾四周，啊，我的心十分孤寂的那段时间的景象，重又活现在我眼前。"亲爱的井泉呀，"我说，"我好久没来你这儿乘凉啦，有时匆匆走过你身旁，竟连看都不曾看你一眼!"我往台阶下望去，却见玛尔馨小心翼翼地端着一杯泉水爬上来。——我凝视着绿蒂，心中感觉到了她对于我的全部价值。这当儿玛尔馨端着水走近了，玛莉安娜伸出手去想接。

"不，不!"小姑娘模样儿甜甜地嚷道，"绿蒂姐姐，你得先喝!"

她说得如此天真、可爱，令我大为感动，以致一时不知如何表达自己的感情，竟从地上抱起小姑娘来死劲儿亲了几下，她马上就又哭又闹起来。

"瞧您闯祸啰。"绿蒂说。

我不知所措。

"过来，玛尔馨，"她拉住小妹妹的手，领她走下台阶，继续说，"快，快! 快用清亮的泉水洗一洗。这样就不要紧啦。"

我却站在一旁，看着小姑娘急急忙忙地捧起水来擦洗自己的脸蛋儿，一副深信不疑的神气，以为真的只有用这神奇的泉水一洗，脸上才不会长出丢人而丑陋的胡须①。尽管绿蒂说洗够了，小姑娘仍一个劲儿洗呀洗呀，仿佛多洗总比少洗好一些。——告诉你，威廉，我还从来不曾怀着更深的虔敬参加过一次洗礼哩。绿蒂上来以后，我真恨不得扑到她的脚边，就像跪在某个用神力襄解了一个民族的孽债的先知跟前一样。

晚上，我心里太高兴了，便忍不住把这件事讲给一位我认为还算通人情的男子听，因为他人挺聪明的；谁料却碰了一鼻子灰! 他道，绿蒂的做法很欠妥，对小孩子可不能弄什么玄虚；这样一搞会滋长种种错觉和迷信，而孩子却必须从小就不让他们受坏影响才是。——听了他的话我才想起，此人是一个礼拜前才受

---

① 当时西方有一种迷信，认为处女被青年男子吻了，嘴上便会长出胡须。

的洗礼，因此不以为怪，只是在心中仍坚信这个真理：我们对待孩子们，也该像上帝对待我们一样，当上帝让我们沉醉在愉快的幻觉中的时候，他就是给了我们最大的幸福。

七月八日

我真是个孩子呵！我竟如此地看重她那青眼的一瞥！我真正是个孩子！

我们去瓦尔海姆郊游。姑娘们是乘车去的。后来在一块儿散步时，我总觉得在绿蒂乌黑的眸子中带着些……我是个傻瓜，原谅我吧！你真应该瞧瞧它们，瞧瞧她这双眼睛！——我想写简单点，我困得眼皮都快合拢了。喏，姑娘们上了车，而我们——青年 W. 塞尔斯塔特以及奥德兰和我，却围着马车站在那里。这当口，她们便从车帘中探出头来，跟送别的人闲聊，小伙子们自然一个个都是够快活的。我极力捕捉绿蒂的目光；唉，它们却望望这个，又瞅瞅那个！看着我呀！看着我呀！看着我呀！我把整个身心全贯注于你们，你们干吗还逃避我哟！——我的心对她道了千百次再见，可她却连瞅也不瞅我！马车开过去了，我眼中噙着泪水。我目送着她，在车门旁看见了她的帽子，呵，她转过头来了！是在看我么？

好朋友啊，我的心至今仍七上八下，怀着这个疑问。唯一的安慰是，她回过头来也许是看我吧！也许！……

晚安！呵，我真是个孩子！

七月十日

每当在聚会中听见人家谈起她，我便会变得傻痴痴的，那模样你要能看见就好了！特别是有谁问我喜不喜欢她的时候！——

"喜欢"！这个词儿简直让我给恨得要死。一个人要不是全部知觉、全部感情都充满对她的倾慕，而仅仅是喜欢她，这还成个什么人呢？哼，"喜欢"！最近又有谁问我"喜不喜欢莪相"①！

七月十一日

M夫人已危在旦夕。我为她的生命祈祷，因为绿蒂心里难过，我也同样难过。我很少到M夫人处去看绿蒂，今天她却给我讲了一桩很奇特的事情：

M这个老头子是个刮皮到了家的吝啬鬼，一辈子把自己的老婆折磨和克扣得够呛，可她却偏偏有办法对付过来。几天前，医生断定她已活不久了，她便让人找来她的丈夫（绿蒂也在房里），对他讲："我必须向你交代一件事。不然，我死以后，家里会出乱子和麻烦。我操持家务直到今天，凡事都尽量做到井井有条，能节省就节省。可是，你要原谅我，我这三十年一直欺骗你。我们刚结婚时，你规定了一个小小的数目，作为伙食和其他家用。但到后来，家大业大，花销多了，你却死也不肯相应增加每周的开支。简单讲，你自己也明白，在那些花费最大的时期，你却要求我每周只支用七个古尔盾。我接过这点钱来也总没吭声，不足部分就只好去柜上拿，因为谁想得到，身为太太竟会做小偷呢。我丝毫不曾浪费，就算不向你承认这些，也尽可以心安理得地闭上眼睛；可是在我之后来管这份家的那个女人，她却没办法对付呵。而你到时候却会一口咬定，你的前妻都是这么撑过来的。"

我和绿蒂谈到人心的虚妄真是到了难以置信的程度：明明看

---

① 莪相相传为爱尔兰盖尔古歌者。1762年至1763年间，苏格兰诗人麦克菲生（James Mecpherson，1736—1796）发表了两组假称是"莪相的歌"的"英译"，一时风行于世。歌德一度也被迷惑，并译过"莪相的歌"。

见花销大了一倍，却偏偏只给七个古尔盾而心安理得，全不想到这后面必定另有隐情。此外，我自己还认识一些人，他们会把先知的宝油瓶毫不惊奇地接回家去供起来。①

七月十三日

不，我不是自己欺骗自己！我在她那乌黑的眼睛里，的的确确看到了对我和我的命运的同情。是的，这是我心中的感觉；然而，在这一点上，我可以相信我的心不会错……我感觉：她……呵，我可以，我能够用这句话来表达自己的无上幸福么？——这句话就是：她爱我！

她爱我！——而我对于自己也变得多么可贵了呵，我是多么——这话我可以告诉你，因为你能够理解它——多么崇拜自己了呵，自从她爱我！

也不知是自己想入非非，还是对情况的正确感觉。那个使我为自己在绿蒂心中的地位担心的人，我不了解。可是，尽管如此，每当她谈起自己的未婚夫来，谈得那么温柔，那么亲切，我心中就颓唐得如一个丧失了所有荣誉与尊严的人，连手中自卫的宝剑也被夺去了。

七月十六日

每当我的指尖儿无意间触着她的手指，每当我俩的脚在桌子底下相互碰着，呵，我的血液立刻加快了流动！我避之唯恐不及，就像碰着了火似的。可是，一种神秘的力量又在吸引我过

---

① 事见《圣经·旧约·列王记》上第十七章：先知以利亚求一寡妇用油为他煎饼，他和她家人一连吃了许多天，瓶里的油一点不减。

去……我真是心醉神迷了!

可她却那么天真无邪,心怀坦荡,全感觉不到这些亲密的小动作带给了我多少的痛苦!尤其当她在谈心时把自己的手抚在我的手上,谈高兴了便把头靠近我,使我的嘴唇感觉到了从她口里送来的天香,此刻,我真像是让闪电给击中了,身子直往下沉,脚下也轻飘飘地完全失去了依托……!威廉啊,要是我什么时候能冒险登一登天堂,大胆地去……你理解我指什么。不,我的心还没有这么坏!它只是软弱,很软弱罢了!而软弱还并非坏吧?

她是圣洁的。一切欲念在她面前都会沉默无言。每当我和她在一起的时候,我都不知道自己的心境如何,仿佛所有的神经和官能都错乱颠倒了。——她喜欢一支曲子,常常在钢琴上弹奏它,弹得如天使一般动人,单纯,富于情感!这是她心爱的曲子,每次只要她弹出第一个音符,我的一切痛苦、烦恼和古怪念头便烟消云散。

这支单纯的曲子令我大为感动,任何关于音乐的古老魅力的说法,在我听来都不再不可信了。而且,每每在我恨不得用子弹射穿自己脑袋的时候,她都弹起这支曲子来,我心中的迷茫黑暗顿时消散,呼吸重新又自如了。

七月十八日

威廉,你想想这世界要是没有爱情,它在我们心中还会有什么意义!这就如一盏没有亮光的走马灯①!可是一旦放进亮光去,白壁上便会映出五彩缤纷的图像,尽管仅只是些稍纵即逝的影子;但只要我们能像孩子似的为这种奇妙的现象所迷醉,它也足以造就咱们的幸福呵。今天我不能去看绿蒂,有一个免不掉的聚

---

① Zauberlaterne,本来指的是一种原始的幻灯。

会拖住了我。怎么办？我派了我的用人去，仅仅为了自己身边有一个今天接近过她的人。我急不可耐地等着用人回来，一见到他就有说不出的高兴！要是不害臊，真恨不得捧住他的脑袋亲一亲！人们常讲电光石的故事，说它放在太阳地里便会吸收阳光，到了夜间仍旧亮华华的。这小伙子对于我也就如电光石。我感到，她的目光曾在他脸上、面颊上、上衣纽扣以及外套的绉领上停留过，这一切因此对我也变得十分神圣、十分珍贵了！此刻，就是给一千银塔勒，我都不肯把这小伙子让给谁的。有他在跟前，我心里舒畅。——上帝保佑，你可别笑我啊。威廉，难道令我心中舒畅的东西，还会是幻影么？

七月十九日

"我将要见到她啦！"清晨我醒来，望着东升的旭日，兴高采烈地喊道，"我将要见到她啦！"除此我别无希求。一切的一切，全融汇在这个期待中了。

七月二十日

你劝我跟公使到×地去的想法，我还不打算同意。我不大喜欢听人差遣，加之此公又是位众所周知的讨厌的人。你信上说，我母亲希望看见我有所作为。这使我感到好笑。难道我眼下不也是在做事么？归根到底，不管我是摘豌豆还是摘扁豆，不也一样么？世界上的一切事情，说穿了全都无聊。一个人要是没有热情，没有需要，仅仅为了他人的缘故去逐利追名，苦苦折腾，这个人便是傻瓜。

七月二十四日

你是那么担心，生怕我把画画给荒疏了，我本想压根儿不提此事，免得告诉你说，近来我很少画画。

我从来还不曾如此幸福过；我对自然的感受，哪怕小到一块石头，一根青草，也从来还不曾这么充实，这么亲切过。可是——我不知如何表达自己意思才好——我的想象力这么微弱，一切在我心里都游移不定，摇摇晃晃，我简直抓不住任何轮廓。不过我仍自信，我要是手头有黏土或者蜡泥，我也会塑造出点什么来的。要是黏土保存得更久，我就取黏土来捏，即便捏出些饼子也好。

绿蒂的肖像我已画过三次，三次都出了丑。这事令我极为懊恼，尤其因为我前些时候一直很成功。后来我就画了一张她的剪影像聊以自慰。

七月二十五日

好的，亲爱的绿蒂，我将一切照办，一切办妥；你只管多多给我任务吧，常常给我任务吧！可有一点，我求求你，以后千万别再往你写给我的字条上撒沙子①。今天我一接着它就送到嘴上去吻，结果弄得牙齿里全嘎吱嘎吱的。

七月二十六日

我已经下过几次决心，不要经常去看她。是啊，可谁又能做得到呢！日复一日，我都屈服于诱惑，同时又对自己许下神圣的

---

① 往信上撒沙子是为了使墨迹快一些干。

诺言：明天说什么也不去啦。

可明天一到，我总又找得出一条无法辩驳的理由，眼一眨又到了她身边。这理由要么是她昨晚讲过："你明天还来，对吗?" ——而谁又能不来呢! ——要么是她托我办件事，我觉得理应亲自去给她个回话；要么是天气实在太好，我到瓦尔海姆去了，而一到瓦尔海姆，离她不就只有半个小时的路程了吗! ——周围的气氛，使我感觉她近在咫尺，于是一抬腿，便到了她跟前! 记得我祖母曾讲过一个磁石山的故事，说的是海上有一座磁石山，船行太近了，所有铁器如钉子什么的便会一下子被吸出来，飞到山上去；倒霉的船夫也就从分崩离析的船板中掉下去，惨遭没顶。

七月三十日

阿尔伯特已经回来了，而我就要走了。尽管他是一位十分善良、十分高尚的人，尽管我在任何方面都准备对他甘拜下风，可眼睁睁看着他占有那么多完美的珍宝，我仍然受不了! ——占有! ——一句话，威廉，未婚夫回来啦! 倒是个令你不能不产生好感的能干而和蔼的男子。幸好接他那会儿我在，不然我的心会被撕碎了的! 阿尔伯特也真够正派，当着我的面从来没吻过绿蒂。上帝奖励他吧! 为了他对姑娘的尊重，我不能不爱他。他对我也很友善，我猜想这更多出于绿蒂的调弄，他的本心则少一些。要晓得女士们都精于此道，而且也自有她们的道理；只要她们有本事使两个崇拜者和睦相处，那么好处总归是她们的，尽管要做到绝非容易。

话虽如此，我仍不能不对阿尔伯特怀着敬重。他那冷静的外表，与我不安的个性形成鲜明的对照；而这不安我怎么也掩饰不了。他感觉敏锐，深知绿蒂多么可爱。看起来他没有什么坏脾气；而你知道，我是最恨人身上的脾气不好这种罪恶的。

他认为我是个有头脑的人；我对绿蒂的倾慕，对她一言一行的赞美，都只增加了他的得意，使他反倒更加爱她。他是否偶尔也对她发发醋劲儿，我暂且不问；至少我要是他，就难保完全不受嫉妒这个魔鬼的诱惑。

不管怎么讲吧，我在绿蒂身边的快乐反正是吹啦！我不知该叫这是愚蠢呢，还是头脑发昏？——名称又有何用，事实就是事实！——现在我知道的一切，在阿尔伯特回来之前我就知道了。我知道，我无权要求绿蒂什么，也不曾要求什么。这就是说，尽管她那么迷人，我也竭力使自己不产生欲望，可而今另一个人真的到来，夺走了姑娘，我却傻了眼。

我咬紧牙关，两倍三倍地更加鄙视某些个可能说我应该自行退出的人；他们会讲，别无他法了嘛。——让这些废物见鬼去吧！——我成天在林子里乱跑一气。每当去到绿蒂那儿，发现阿尔伯特和她一起坐在园子里的凉亭中，我就脚下生了根，模样变得傻不愣愣，说起话来语无伦次。

"看在上帝的分上，"绿蒂今天对我说，"我求你行行好，别再像昨儿傍晚似的做戏行不行！您那副可笑的样子真要命。"

坦白说，我一瞅见阿尔伯特不在，嗯地一下就跑了去。一发现只有她一个人，我的心啊，总是乐滋滋的。

八月八日

我请你原谅，亲爱的威廉！我把那些要求我们服从不可抗拒的命运的人骂作废物，的的确确并非指你。我实在没有想到，你也会有类似想法。当然，从根本上讲，你是对的。不过，好朋友，世上的事情很少能要么干脆这样，要么干脆那样。人的感情和行为千差万别，正如在鹰钩鼻子与塌鼻子之间，还可能有各式各样别的鼻子。

你别见怪：我承认你的整个论点，却又企图从"要么这样——要么那样"这个空子中间钻过去。

你说什么，"要么你有希望得到绿蒂，要么根本没有。好啦，如果是第一种情况，你就努力实现它，努力满足自己的愿望；否则，你就振作起来，摆脱那该死的感情，要不然它一定会把你的全部精力都吞掉。"——好朋友，说得动听！说得容易！

可是，对于一个受着慢性病摧残而一步一步地走向死亡的人，难道你能要求他拿起刀来，一下子结束自己的痛苦么？病魔在耗尽他精力的同时，不也摧毁了他自我解脱的勇气么？

当然，你满可以用下面这个贴切的比喻来反驳我：谁不宁愿牺牲自己的一条胳膊，而是迟疑犹豫，甘冒丢掉生命的危险呢？

叫我怎么说好呢？——还是让我们别用这些比喻来伤彼此的脑筋吧。够了。

是的，威廉，我间或也在一瞬间有过振作起来、摆脱一切的勇气，然而……要是我知道往哪儿去的话，我早就走了！

傍　晚

我的日记本好些时候以来给丢在一边，今天又让我无意间翻了开来。我很诧异，我竟是这样睁着眼睛一步一步地陷进了眼前的尴尬境地！我对自己的处境一直看得清清楚楚，可行动却像个小孩子似的；现在也仍然看得十分清楚，但就是没有丝毫悔改之意。

八月十日

我若不是个傻瓜，本可以过最幸福、最美满的生活。像我目前所处的这样一个令人心旷神怡的环境，是很不容易凑齐的。是啊，常言道得好：人之幸福，全在于心之幸福。我是这个和睦家庭中的一员，老人爱我如儿子，孩子们爱我如父亲，而且还有绿蒂！就说诚恳的阿尔伯特吧，他也不以任何乖僻来破坏我的幸福，而是以其亲切友善来拥抱我；对于他说来，除去绿蒂我就是世界上最亲爱的人了。——威廉，你听听我俩散步时是怎样谈绿蒂的吧，这会叫你愉快的。在世间，恐怕找不出比我们这种关系更可笑的了；然而我却常常被它感动得热泪盈眶。

阿尔伯特曾对我讲绿蒂可敬的母亲，讲她临终前如何把自己的家和孩子们托付给了绿蒂，如何又叮嘱他对绿蒂加以关照；讲到自那以后，绿蒂如何完全变成了另一个人，兢兢业业执掌家务，对孩子们爱护备至，无时无刻不在为他们操劳，俨然是一位母亲；但尽管如此，又从来不改活泼愉快的天性。我和阿尔伯特并肩走着，不时地弯下腰去采摘路旁的鲜花，用它们精心扎成一个花环，然后——我把花环抛进了从面前流过的溪水里，目送着它缓缓向下游漂去……

我记不清有没有告诉你，阿尔伯特将留下来，在此间的侯爵府中获得一个待遇优厚的差事；侯爵府上的人很器重他。像他这样的办事精细勤谨的人，我见得不多。

八月十二日

的确，阿尔伯特是天底下最好的人。昨天，在我和他之间发生过一桩不寻常的事。我去向他告别，因为我突然心血来潮，想骑马到山里去，而眼下我便是从山里给你写信的。我在他房中来回踱着，目光偶然落在了他的手枪上。

"把手枪借给我旅途中用用吧，"我说。

"好的，"他回答，"要是你不怕麻烦，肯自己装装弹药的话。

它们挂在那儿只是 pro forma① 罢了。"

我从墙上摘下一支枪，他这时继续说道：

"我自从粗心大意，出过一回岔子，就不愿再和这玩艺儿打交道了。"

我颇好奇，急于想知道是怎么回事，他就又讲：

"大约三个月以前，我住在乡下一位朋友家里，房中有几支小手枪，尽管没装弹药，晚上我也睡得安安稳稳的。在一个下雨的午后，我坐着没事干，不知怎么竟想到我们可能遭到坏人袭击，可能需要用手枪，可能……这样的事你是知道的。我于是把枪交给一名下人，叫他去擦拭和装药。这小子却拿去和使女们闹着玩儿，吓唬她们，却不知扳机怎么一弄就滑了，而通条又还在枪膛里，结果一下子飞出来，射中了一名使女的右手，把她的大拇指戳得稀烂。这一来我不仅挨抱怨，而且还得付医药费，从此我所有的枪都不再装药了。好朋友，小心谨慎又有什么用？危险并非全都可以预料啊！虽然……"

你知道，我喜欢这个人，除去他的"虽然"。不错，任何常理都容许有例外。可是他却太四平八稳！一旦觉得自己言辞过激、有失中庸或不够精确，他就会一个劲儿地对你进行修正、限定、补充和删除，弄得到头来什么意思也不剩。眼下阿尔伯特正是越讲话越长，临了儿我根本没有再听他讲些什么，而是产生了一些怪念头，动作夸张地举起手枪来，用枪口对准自己右眼上方的太阳穴。

"呸！"阿尔伯特叫起来，夺去了我手中的枪，"你这是干吗呀？"

"没装药哩。"我回答。

"就算没装药也不该胡闹！"他不耐烦地说，"我真不能想象，

---

① 拉丁文：形式上；做做样子。

一个人怎么会愚蠢到去自杀；单单这样想都令我反感。"

"你们这些人呵！"我提高嗓门道，"你们一谈什么都非得立刻讲：这是愚蠢的！这是明智的！这是好的！这是坏的！——这一切又意味着什么呢？为此你们弄清了一个行为的内情吗？探究过它何以发生，以及为什么必然发生的种种原因吗？你们要这样做过，就不会匆匆忙忙地下断语了。"

"可你得承认，"阿尔伯特说，"某些行为无论如何都是罪过，不管它出于什么动机。"

我耸了耸肩，承认他有道理。

"可是，亲爱的，"我又说，"这儿也有一些例外。不错，偷盗是一种罪行；然而，一个人为使自己和自己的亲人不致眼睁睁饿死而偷盗，这个人是值得同情呢，还是该受惩罚呢？一位丈夫出于义愤，杀死了不贞的妻子和卑鄙的奸夫，谁还会第一个捡起石头来砸他①吗？还有那个在幽会的欢乐中一时控制不住自己而失身的姑娘，谁又会谴责她呢？我们的法学家们都是些冷血的老古板；可就连他们也会被感动，因而不给予惩罚的。"

"这完全是另一码事，"阿尔伯特反驳说，"因为一个受热情驱使而失去思考力的人，人家只当他是醉汉，是疯子罢了。"

"嗨，你们这些明智的人啊！"我微笑着叫道，"热情！迷醉！疯狂！你们如此冷眼旁观，无动于衷，你们真是些好样的道学先生！你们嘲骂酒徒，厌恶疯子，像那个祭师②一般从他们身边走过，像那个法利赛人③似的感谢上帝，感谢他不曾把你们造成一名酒徒，一个疯子。可我呢，却不止一次迷醉过，我的热情从来都是离疯狂不远的；但这两点都不使我后悔，因为我凭自己的经验认识到：一切杰出的人，一切能完成伟大的、看似不可能的事

① 古代中东有以石头投掷淫妇的习俗。此处意即谴责。
② 祭师指见死不救的假善人，典出《新约·路加福音》第十章。
③ 法利赛人指伪君子，典出《新约·路加福音》第十八章。

业的人，他们从来总是给世人骂成酒鬼和疯子的。

"甚至在日常生活中也一样，只要谁的言行自由一些，清高一些，超乎一般人的想象，你就会听见人家在他背后叫：'这家伙喝多了！这家伙是个傻瓜！'——真叫人受不了。真可耻，你们这些清醒的人！真可耻，你们这些智者！"

"瞧你又胡思乱想了，"阿尔伯特说，"你这人总是爱偏激，这回竟把我们谈的自杀扯到伟大事业上去，至少肯定是错了；因为自杀怎么也只能被看作软弱。与坚定地忍受充满痛苦的人生相比，死显然轻松得多。"

我已经打算中止谈话；要知道我讲的都是肺腑之言，他却用陈词滥调来进行反驳，真令我再生气不过。可是，这种话我听得多，气生得更多，所以仍能控制自己，兴致勃勃地反问他道：

"你称自杀为软弱？可我请你别让表面现象迷惑了啊。一个在暴君残酷压迫下呻吟的民族，他们终于奋起挣断枷锁，能说是软弱么？一个人面临自己的家被大火吞没的危险，鼓起劲来扛走他在冷静时根本搬不动的重物；一个人在受辱后的狂怒中，竟和六个人交起手来并且战胜了对方，这样的人能称为软弱么？还有，好朋友，既然奋发可以成为刚强，干吗亢奋就是它的反面呢？"

阿尔伯特凝视着我，说：

"你别见怪，你举的这些个例子，在我看来根本文不对题。"

"可能是吧，"我说，"人家也曾常常责备我，说我的联想和推理方式近乎古怪。好，那就让我们看能不能以另一种方式，想象一个决定抛弃人生的担子的人——这个担子在通常情况下应该是愉快的——他的心情会怎样。要知道只有我们有了同样的感受，我们才具备资格谈一件事情。

"人生来都有其局限，"我继续说，"他们能经受乐、苦、痛到一定的限度；一过这个限度，他们就完啦。这儿的问题不是刚

055

强或者软弱，而是他们能否忍受痛苦超过一定的限度。尽管可能有精神上的痛苦和肉体上的痛苦之别，但是，正如我们不应该称一个患寒热病死去的人为胆小鬼一样，也很难称自杀者是懦夫。"

"荒唐，十分荒唐！"阿尔伯特嚷起来。

"才不像你想的那么荒唐呢，"我回答说，"你也该承认，当一种疾病严重损害我们的健康，使我们的精力一部分消耗掉了，一部分失去了作用，没有任何奇迹能再使我们恢复健康，重新进入日常生活的轨道，这样的疾病便被我们称为'死症'。"

"一位清醒的明智的人可能对这个不幸者的处境一目了然，可能去劝他，但是白费力气。这正如一个站在病榻前的健康人，他丝毫不能把自己的生命力输送进病人的体内一样。"

阿尔伯特觉得这种说法仍太空泛。我便让他想想前不久从水塘中捞起来那个淹死了的少女，又对他讲了一遍她的故事。

"一个可爱的姑娘，生长在家庭的狭小圈子里，一礼拜接一礼拜地做着同样的家务，唯一的乐趣就是礼拜天用渐渐凑齐的一套好衣服穿戴打扮起来，和女伴一块儿出城去溜达溜达，逢年过节也许还跳跳舞，要不就再和某个邻居聊聊闲天，诸如谁跟谁为什么吵架啦，谁为什么又讲谁的坏话啦，如此等等，常常谈得专注而热烈，一谈就是几个钟头。可是后来，她火热的天性终于感到了一些更深刻的需要，而一经男子们来献殷勤，这些需要便更加热烈。从前的乐事已渐渐使她兴味索然；临了儿，她到底碰着一个人，某种从未经历过的感情不可抗拒地把她吸引到了此人身边，使她将自己的全部希望都寄托在他身上，以致忘记自己周围的一切，除了他，除了这唯一一个人，她什么也听不见，什么也看不见，什么也感觉不到，她所思所想的就只有他，只有这唯一一个人。她不为朝三暮四地卖弄风情的虚假欢乐所迷惑，一心一意追求着自己的目标，执意要成为他的，在与他永结同心之中求得自己所缺少的幸福，享受自己所向往的全部欢乐。反复的许诺使她深信所有希望一定会实现，大胆的爱抚和亲吻增加了本已充满她心中的欲望。她模模糊糊地意识到了全部的欢乐，预感到了全部的欢乐，身子于是飘飘然起来，心情紧张到了极点。终于，她伸出双臂去准备拥抱自己所渴望的一切。——可她的爱人却抛弃了她！她四肢麻木，神志迷乱，站立在深渊边上；她周围是一片漆黑，没有了希望，没有了安慰，没有了预感！要知道，他抛弃了她，那个唯一使她感觉到自己的存在意义的人抛弃了她。她看不见眼前的广大世界，看不见那许许多多可以弥补她这个损失的人；她感到自己在世上孤孤单单，无依无靠。被内心的可怕痛苦逼得走投无路了，她唯有闭起眼来往下一跳，以便在死神的怀抱里窒息掉所有的痛苦。——你瞧，阿尔伯特，这就是不少人的遭遇！难道能说，这不也是一种疾病么？在这混乱的、相互矛盾的力的迷津中，大自然也找不到出路，人就唯有一死。

"罪过啊，那种冷眼旁观，并且称她为傻瓜的人！这种人可能讲什么：她应该等一等，让时间来治好她的创伤，日子一久绝望定会消失，定会有另一个男人来给她以安慰。——可是，这不正像谁说：'傻瓜，竟死于寒热病！他应该等一等，等到力量恢复，液体改善①，血液循环平稳下来，一切都好了，他就能活到今天！'"

阿尔伯特还是不觉得这个例子有说服力，又提出几点异议，其中一点是：我讲的只是个单纯的女孩子；可要是一个人眼光不这么狭隘，见多识广，头脑清楚，那他就不理解这个人怎么还值得原谅。

"我的朋友，"我嚷起来，"人毕竟是人呵！一旦他激情澎湃，受到了人类的局限的压迫，他所可能有的一点点理智便很难起作

---

① 在近代医学发达以前，欧洲人认为生病的原因是身体中的液体变坏了。

用，或者说根本不起作用。况且……以后再谈吧。"我说着，一边就抓起了自己的帽子。唉，我当时的心里真是充满了感慨！我和阿尔伯特分了手，但谁也没能理解谁。在这个世界上，人跟人真难于相互理解啊。

八月十五日

显然，在世界上，只有爱才能使一个人变得不可缺少。我从绿蒂的情况感觉出，她非常不愿失去我；孩子们心中更是只有一个想法，就是我明天一定还会去。今天我去为绿蒂的钢琴校音，但老动不了手，因为小家伙们一个劲儿地缠着我，要我给他们讲故事，而绿蒂自己也说，我应该满足他们的愿望。晚餐时，我给他们切面包，他们都高高兴兴地接过去吃起来，就像从绿蒂手中接过去的一样。然后，我给他们讲了那个得到一双神奇的手帮助的公主的故事，这是他们最爱听的。在讲的过程中，请你相信，我学到了许多东西。我感到惊讶，这个故事竟给他们留下了如此深刻的印像。因为每当我把一个细节忘记了，不得不自行编凑时，他们立刻就嚷起来：上次讲的可不是这样呵！弄得我现在只好反复练习，直至能一字不差地用唱歌的调子进行背诵。从这件事我得到一个教训：一位作家把书中的情节修改再版，即使艺术上出色得多了，都必然会给作品带来损害。我们总乐于接受第一个印像；人生来如此，即使最荒诞离奇的事，你都能叫他信以为真，并且一下子便记得牢牢的；而谁想去挖掉这个记忆，抹去这个记忆，谁就自讨苦吃！

八月十八日

能使人幸福的东西，同时又可以变成他痛苦的根源，难道就非得如此么？

　　对于生机勃勃的自然界，我心中曾有过强烈而炽热的感受，是它，曾使我欢欣雀跃，把我周围的世界变成了一个天国；可如今，它却残忍地折磨着我，成了一个四处追逐我的暴虐的鬼魅。想当初，我曾从高崖上眺望对岸那些丘陵间的富庶峡谷，看见面前的一切都生意盎然，欣欣向荣。我曾看见群山从山脚到峰顶都长满高大茂密的树木，迂回曲折的峡谷都覆盖着可爱的绿荫，河水从发出絮语的芦苇间缓缓流去，轻柔的晚风吹动着天空中冉冉飘过的白云，白云在河里投下倒影；接着，群鸟在林间发出晚噪，亿万只小昆虫在火红的夕晖中纵情舞蹈，落日的最后一瞥解放了草丛里的蟋蟀，它们唱起了歌；我周围的嗡嗡嘤嘤声使我低下头去看着地上，注意到了从坚硬的岩石里摄取养料的苔藓以及由干燥的沙丘上蔓生垂挂下来的藤萝，它们向我揭示了大自然内在的、炽烈而神圣的生命之谜。这一切的一切，我全包容在自己温暖的心里，感到自己像变成了神似的充实，辽阔无边的世界的种种美姿也活跃在我的心灵中，赋予一切以生机。环抱着我的是巍峨的群山，我脚边躺着道道幽谷，一挂挂瀑布飞泻而下，一条条小溪流水潺潺，树林和深山里百鸟声喧——这种种秘不可知的力量，我目睹它们在大地的怀抱中相互作用，相互影响；除此而外，在地球上，天空下，还一代一代繁衍着形形色色的生命。一切一切，应有尽有，千姿百态，最后还有人，他们为求安全而聚居在小小的房子里，却自以为能主宰这大千世界！可怜的傻瓜，你把一切都看得如此渺小，因为你自己就很渺小！——从高不可攀的群山，越过人迹未至的莽原，到世所不知的大洋的尽头，到处都有造物主的精神在空中流动，并为每一丁点能感知他的微末的生命而高兴。——唉，那时我是多么经常地渴望着，渴望借助从我头顶掠过的仙鹤的翅膀，飞向茫茫海洋的岸边，从那泡沫翻腾的无穷无尽的酒杯中，啜饮令人心醉神迷的生之欢愉，竭尽自己胸中有限的力量，感受一下那位在自己体内和通过自己创造出天地万汇的伟大存在的幸福，哪怕仅仅在一瞬间！

朋友，单单回忆起过去的这些时光，我心中便很快乐。甚至想重新唤起和说出这些无法言说的感情的努力，都净化了我的灵魂，但是接下来，也使我倍加感到自己目前处境的可怕。

仿佛有一面帷幕从我面前拉开了，广大的世界变成了一座张开着大口的墓穴。你能说"这存在着"吗！唉，一切都在消失，一切都像闪电般一晃而逝，要么被洪流卷走、沉没，要么在礁石上撞得粉碎，很难真正耗尽各自的生命力。没有一个瞬间，不是在吞噬着你和你周围的亲人的生命；没有一个瞬间，你不是一个破坏者，不得不是一个破坏者：一次最无害的散步，将夺走千百个可怜的小虫子的生命；一投足，就会毁坏蚂蚁们辛辛苦苦营建起来的巢穴，把一个小小的世界踏成一片坟墓。嗨！使我痛苦的，不是世界上那些巨大但不常有的灾难，不是冲毁你们村庄的洪水，不是吞没你们城市的地震；戕害我心灵的，是大自然内部潜藏着的破坏力，这种力量所造就的一切，无不在损害着与它相邻的事物，无不在损害着自身。想到此，我忧心如焚。环绕着我的是天和地以及它们创造生命的力量；但在我眼中，却只有一个在永远不停地吞噬和反刍的庞然大物而已。

八月二十一日

清晨，我从睡梦中醒来，伸出双臂去拥抱她，结果抱了一个空。夜里，我做了一场梦，梦见我与她肩靠肩坐在草地上，手握着手，千百次地亲吻；可这幸福而无邪的梦却欺骗了我，我在床上找她不着。唉，我在半醒半睡的迷糊状态中伸出手去四处摸索，摸着摸着终于完全清醒了，两股热泪就从紧迫的心中迸出，我面对着黑暗的未来，绝望地痛哭。

多不幸啊，威廉，我浑身充满活力，却偏偏无所事事，闲得心烦，既不能什么都不干，又什么都不能干。我不再有想象力，不再有对自然界的敏感，书籍也令我生厌。一旦我们失去了自主，便失去了一切。我向你发誓，我有时甚至希望当个短工，以便清晨一觉醒来，对未来的一天有个目标，有个追求，有个希望。我常常羡慕阿尔伯特，看见他成天埋头在公文堆中，心里就想，要是我能像他那样该有多好啊！有几次我已动了念头，想给你和部长写信，请他把公使馆的差事留给我。如你所说，他是不会拒绝我的，我也这么相信。部长多年来就喜欢我，总是劝我找个事情做做；有一阵子我也认真准备这么办。可是事后再一考虑，我便想起了那则马的寓言，说的是它自由自在得不耐烦了，便请人给它装好鞍子，套上缰绳，结果让人骑得累得半死。这一想，我又不知如何是好了。——好朋友，我这要求改变现状的热望，莫不就是到处追逼着我的内心的烦躁不安吧？

八月二十八日

真的，如果我的病还有希望治好的话，那就唯有他们来医治。今天是我的生日，一大早我便收到了阿尔伯特差人送来的一个包裹。打开包裹，一个粉红色的蝴蝶结立刻跃入我眼帘。这是我初见绿蒂时她曾佩戴在胸前，以后我又多次请求她送给我的那个蝴蝶结呵！此外，包里还有两本六十四开的小书，威特施坦袖珍版的《荷马选集》，也是我久已想买的本子，以免在散步时老驮着埃尔涅斯特版的大部头。瞧，他们总是不等我开口就满足了我的愿望，总是想方设法向我作出友谊的表示。对我来说，这些小小的礼品比那种灿烂夺目的礼物贵重一千倍，因为后者只表明赠予者的矜夸，却贬低了我们的人格。我无数次地吻着那个蝴蝶结，每吸一口气，都吸到了对那为数不多的、一去不复返的日子用来充溢我身心的幸福的回忆。威廉啊，生活就是这样；而我也不抱怨，生命之花只是过眼烟云而已！多少花朵凋零了，连一点痕迹也不曾留下！能结果的何其少，果实能成熟的就更少了！不过，尽管如此，世间仍存在足够的果实；难道，我的兄长，难道我们能轻视这些已成熟的果实，对它不闻不问，不去享受它们，任它们白白腐烂掉么？

再见！此地的夏季很美，我常常坐在绿蒂家的园子里的果树上，手执摘果用的长杆，从树梢上的钩梨子。她站在树下，摘掉我钩给她的果实。

八月三十日

不幸的人呵！你可不是傻子吗？你可不是自我欺骗吗？这无休止的热烈渴慕又有何益？除了对她，我不再向任何人祷告；除了她的倩影，再没有任何形象出现在我的脑海里；我周围世界的一切，在我眼里全都与她有着关系。这样的错觉也曾使我幸福了一些时候，可到头来仍不得不与她分离！威廉呵，我的心时时渴望到她身边去！

我常两个小时、三个小时地坐在她身旁，欣赏着她优美的姿态举止、隽永的笑语言谈，所有的感官渐渐紧张到了极点，直至眼前发黑，耳朵任何声音都再听不见，喉头就像给谁扼住了似的难受，心儿狂跳着，渴望着使紧迫的感官松弛一下，结果反倒使它们更加迷乱。威廉啊，我这时候常常不知道，我是否还在这个世界上活着！有时候，抑郁的心情占了上风，要不是绿蒂允许我伏在她手上痛哭一场以舒积郁，从而得到可怜的一点点安慰的话，我就一定得离开她，一定得跑出去！随后，我便在广阔的田野里徘徊，攀登上一座陡峭的山峰，蹒跚在没有路径的森林里，穿过满是荆棘的灌木丛，让它们刺破我的手脸，撕破我的衣履！

这样，我心中会好受一点儿！但也就是这一点儿而已！有时，我又渴又累，倒卧途中；有时，在深夜寂静的林间，我头顶一轮满月，坐在一棵弯曲的树杆上，让我磨伤了的脚掌得到些许休息，接着，在黎明前的朦胧晦暝中，由困人的寂寥送入梦乡，沉沉睡去。威廉，修道士寂寞的斗室，赎罪者羊毛织成的粗衣和荆条编成的腰带，现在才是我灵魂渴求的甘露啊！再见了！我看这眼前的悲苦是无休无止，除非进入坟墓。

九月三日

我必须走了！谢谢你，威廉，是你坚定了我的决心，使我不再犹豫。十四天来，我就在转着离开她的念头。我必须走了。眼下她又在城里照护她的女友。而阿尔伯特……还有……我必须走了！

九月十日

那是怎样一个夜晚哟，威廉！现在我一切都可以克服了。我不会再见到她！此刻，我恨不得扑到你怀里，痛痛快快地哭一场，向你倾吐我激动的情怀，我的好友！我坐在这儿，为使自己平静下来而一口一口地吸着长气，同时期待着黎明快快来到：太阳一出，我的马匹就备好了。

唉，她会睡得很安稳，不会想到再也见不着我了。我终于坚强起来，离开了她，在两个小时的交谈中丝毫不曾泄露自己走的打算。上帝呵，那是怎样一次谈话啊！

阿尔伯特答应我，一吃完晚饭就和绿蒂一起到花园里来。我站在高高的栗子树下的土坡上，最后一次目送着夕阳西下，沉落到幽静的山谷和平缓的河流背后去。我曾多少次和她一起站在这儿，欣赏着同一幕壮丽景色呵；然而现在……

我在那条十分熟悉的林荫道上来回踱着；早在认识绿蒂以前，这条路便对我产生了某种神秘的吸引力，使我经常在此驻足；后来，在我俩认识之初，我们便发现彼此对这个地方都有着相同的爱好，当时的欣喜之情简直难以言说。这条林荫道，的确是我见过的一件最富浪漫情调的艺术杰作。

你一直要走到栗子树间，眼前才会豁然开朗。——啊，我想起了，我已经对你描写过许多次，告诉你那些高耸的山毛榉树怎样像墙一般把人围在中间，那林荫道怎样被两旁的小丛林遮挡着，显得越发幽暗，直到最后成为一个与世隔绝的小天地，寂静凄清，令人悚然。我还清楚记得第一次在正午走进去时的奇异心境；我当时隐隐约约预感到，这将是一个既让人尝到许多幸福，又让人体验无数痛苦的所在。

我怀着令人销魂的离情别绪，在那儿沉思了约莫半个小时，便听见他们从土坡下走来了。我跑上前去，在拉住她的手时不由一怔，但还是吻了吻。我们再登上土坡时，月亮也刚好从树影森森的山岗后面升了起来。我们谈着各种各样的事情，不觉已走到黑魆魆的凉亭前面。绿蒂跨进去坐下来，阿尔伯特坐在她身边，我也一样。然而，内心的不安叫我没法久坐。便站起身，走到她跟前，在那儿踱了一会儿，最后又重新坐下，那情形可真令人难受啊。这当儿，她让我们注意到美丽的月光，只见在我们面前的山毛榉树墙的尽头，整个土坡都被照得雪亮，加之是被包围在一片深邃的幽静中，那景象就更加鲜明悦目。我们全都沉默无语，过了好一阵她才又开口道：

"每当在月光下散步，我总不免想起自己已故的亲人，对死和未来的恐惧就一定会来袭扰我。我们都一定会死啊！"她声音激动地继续说，"可是维特，你说我们死后还会不会再见呢？见着了还能相互认识么？你的预感怎么样？你能说些什么？"

"绿蒂，"我说，同时把手伸给她，眼里噙满了泪水，"我们会再见的！在这儿和那儿都会再见！"

我讲不下去了。在我满怀离愁的时刻，威廉，难道她非这么问不可吗！

"我们已故的亲人，"她继续问，"他们是否还记得我们呢？他们能不能感觉到，我们在幸福的时刻，总是怀着热爱想念他们呢？常常，在静静的夜晚，我坐在弟妹中间，像当年母亲坐在她的孩子们中间一样，孩子们围着我，像当年围着他们的母亲一样，这时候，我面前每每就会浮现出我母亲的形象。我呢，眼含渴慕的热泪，仰望空中，希望她能哪怕只看我一眼，看看我是如何信守在她临终时对她许下的诺言，代替她做孩子们的母亲的。我激动得几乎喊出声来：'原谅我吧，亲爱的妈妈，要是我没能像您那样无微不至地关怀他们。唉，我已经做了能做的一切，照顾他们穿衣，照顾他们的饮食，更重要的，还保护他们，爱他们。亲爱的神圣的妈妈呀，你要能见到我们多么和睦就好了！你将怀着最热烈的感激之情赞美上帝，赞美你曾以临终的痛苦泪水，祈求他保佑你的孩子们的主……'"

她这么讲啊讲啊，威廉！谁能够把她讲的都复述出来呢？这冷漠的、死的文字，怎能表达那灵智的精髓呵！

阿尔伯特温柔地打断她：

"你太激动了，亲爱的绿蒂！我知道，你心里老惦着这件事，不过我求你……"

"呵，阿尔伯特，"她说，"我知道你不会忘记那些个晚上，当时爸爸出门去了，孩子们已被打发上了床，我俩一块儿坐在那张小小的圆桌旁边，你手头常常捏着一本书，但却很难得读一读；要知道在这个世界上，有什么比和这个美丽的灵魂进行交流更重要呢？她是位秀丽、温柔、快活而不知疲倦的妇女。上帝知道，我多么经常流着热泪跪在自己床上，乞求他让我变成像她一样!"

"绿蒂!"我叫着,同时扑倒在她跟前,抓住她的手,眼泪簌簌滴到了她的手上,"绿蒂呵,上帝时刻保佑着你,还有你母亲在天之灵也保佑着你!"

"唉,你要是认识她就好了,"绿蒂紧握着我的手,说,"她值得你认识呐!"——听到这话,我自觉飘飘然起来;在此之前,我还从未受过更崇高,更可引以自豪的称赞哩。——她继续说:"可这样一位妇女,却不得不正当盛年就离开人世。那时候,她最小的儿子才六个月啊!她没有病多久,死的时候平静而安详,只有她的孩子们令她心疼,特别是最小的儿子。弥留之际,她对我讲:'把他们给我领来吧。'我就把孩子们领进房去,小的几个还懵懵懂懂,大的几个也不知所措,全围着病榻站着。她举起手来为他们祝福,挨个儿吻了他们,然后便打发他们出去,一边却对我讲:'你要做他们的母亲呵!'——我向她起了誓——'你答应了像母亲似的关心他们,照料他们,这个担子可不轻呀,我的女儿!我自己经常从你感激的泪水看出,你已体会到做个母亲多么不易。对于你的弟妹,你要有母亲的慈爱;对于你的父亲,你要有妻子似的忠实与柔顺,并且成为他的安慰。她问父亲在哪儿。父亲为了不让我们看见他难以忍受的悲痛,已一个人出去;这男子汉也是肝肠寸断了啊。

"阿尔伯特,你当时也在房中。她见有人走动,便问是谁,并要求你走过去。她凝视着你和我,目光安详,流露出感到欣慰的神气,因为她知道我俩将在一起,幸福地在一起。"

阿尔伯特一把搂住绿蒂的脖子,吻她,吻了又嚷:

"我们现在是幸福的!将来也会幸福!"

冷静的阿尔伯特一时间竟失去了自制,我更完全忘乎所以。

"维特呵,"她又继续讲,"上帝却让这样一位夫人离开了人世!我有时想,当我们眼看自己生命中最亲爱的人被夺走时,没有谁的感受比孩子们更痛切的了。后来，我的弟妹很久很久还在对人诉说，是一些穿黑衣的男人把妈妈给抬走啦！"

她站起身来，我才恍如大梦初醒，同时深为震惊，因此仍呆坐在那儿，握着她的手。

"咱们走吧，"她说，"时候不早了。"她想缩回手去，我却握得更紧。

"我们会再见的，"我叫道，"我们会再相聚，不论将来变成什么样子，都能彼此认出来的。我要走了，心甘情愿地走了，"我继续说，"可要我说永远离开你们，我却无此毅力。保重吧，绿蒂！保重吧，阿尔伯特！我们会再见的！"

"我想就在明天吧。"她开玩笑说。

天啦！这个"明天"多够我受！可她在抽回手去时，还压根儿不知道哩……

他俩走出了林荫道；我仍呆呆立着，目送着他们在月光下的背影，随后却扑倒在地上，痛哭失声，一会儿又一跃而起，奔上土坡，从那儿，还看见她的白色衣裙，在高高的菩提树下的阴影里闪动，可等我再伸出手去时，她的倩影已消失在园门中。

第二编

一七七一年十月二十日

我们昨天抵达此地。公使觉着身体不舒服，要在家里休息几天。他要是脾气随和些，就一切都好了。我发现，一再地发现，命运总是安排给我种种严峻的考验。可要鼓起勇气啊！心情一轻松，便什么都能忍受了。好个心情轻松，这话竟然出自我的笔下，简直令人好笑！唉，岂知我只需心情稍微轻松一点儿，就可以成为天底下最幸福的人。可不是么，别人有一点点能力，一点点才分，便到处夸夸其谈，沾沾自喜，我干吗还要悲观失望，怀疑自己的能力和天赋呢？仁慈的上帝，是你赐予了我这一切；可你为什么不少给我一半才能，多给我一丁点自信与自足哟！

别急！别急！情况会好起来的。告诉你，好朋友，你的意见完全对。自从我每天在人们中间忙忙碌碌，看见他们干什么和怎么干以来，我的心绪已经好多了。的确，我们生来就爱拿自己和其他人反反复复比较；所以，我们是幸福或是不幸，全取决于我们与之相比的是些什么人；所以，最大最大的危险，就莫过于孤身独处了。我们的脑子生就是朝上想的，加之受到诗里的幻境的激发，便常常臆造出一些地位无比优越于我们的人来，好像他们个个都比自己杰出，个个都比自己完美。而且这似乎理所当然。经常地，我们感到自己身上有这样那样的缺陷；在我们看来，我们所欠缺的，别人偏偏都有。不仅如此，我们还把自己所有的品质全加在他们身上，外搭着某种心满意足。这样，一个幸福的人就完成了，只不过是我们自己的创造而已。

反之，如果我们不顾自己的衰弱和吃力，只管一个劲儿往前赶，我们常常便会发现，我们虽然步履跟跄，不断迷路，却仍比其他又张帆又划桨的人走得远——而且，一旦你与其他人并驾齐驱，或者甚至超越了他们，你就会真正感觉到自身的价值。

十一月二十六日

我开始勉勉强强适应了此地的生活。最使我高兴的，是这儿有足够的事干；此外，还有许许多多的人，百态千姿，形形色色，恰似在对着我的灵魂演出一场热闹的趣剧。我已经结识了 C 伯爵——一位令我日益尊敬的博学而杰出的男子，他见多识广，所以对人就不冷漠；从他的待人接物，可以明显看出是很重感情和友谊的。我有一次奉命去他府上公干，他便表现出对我有好感，一经交谈，他更发现我们相互理解，发现他可以同我像同他的少数知心朋友似的倾谈。还有他对人态度之坦率，我怎么称赞也不为过。世间最纯粹、最暖人胸怀的乐事，恐怕莫过于看见一颗伟大的心灵对自己开诚相见吧。

十二月二十四日

公使给了我许多烦恼，这是我预料到的。像他似的吹毛求疵的傻瓜，世上找不出第二个。一板一眼，啰里啰唆，活像个老太婆；他这人从来没有满意自己的时候，因此谁也甭想多会儿能称他的心。我喜欢的可是干事爽快麻利，是怎样就怎样；他呢，却有本事把文稿退还给我，说什么"文章嘛写得倒挺好，不过您不妨再看看，每看一遍总可以找到一个更漂亮的句子，一个更适合的小品词。"——这真叫我气得要死。任何一个"和"，任何一个连词，你都甭想省去；我偶尔不经意用了几个倒装句，他都拼命反对；要是你竟把他那些长套句换了调调，他更会摆出一副完全摸不着头脑的样子，和这样一个人打交道，真叫受罪啊。

只有 C 伯爵的信任，才给我以安慰。最近他开诚布公地告诉我说，他对我这位公使的拖沓与多疑也很不满。"这种人不仅自讨苦吃，也给人家添麻烦。不过，"他说，"我们必须听天由命。这就像旅行者不得不翻一座山，这座山要是不存在，路走起来自然舒坦得多，也短得多；可它既然已经存在，那你就必须翻过去！"

我那老头子心里明白，比起他来伯爵更器重我。他对此十分生气，一抓住机会就当着我的面讲伯爵的坏话；我呢，自然便要为伯爵辩护，这一来事情只会更糟。昨天我简直叫他惹火了，因为他下面的一席话，捎带着把我也给骂了进去。他说，伯爵处理起事务来还算行，非常干练，笔头嘛也来得，可就是缺少渊博的学识，跟所有文人一样。讲这话时，他那副神气仿佛在问："怎么样，刺痛你了吧？"我才不吃这一套哩；我鄙视一个像这样思想和行动的人，便与他针锋相对，毫不让步。我道，无论品性或是学识，伯爵都是位理应受到尊重的人。"在我所有相识者中，"我说，"没有谁像他那样心胸开阔，见多识广，同时又精于日常事务的。"——我这话在老头子无异于对牛弹琴；为了避免闲扯下去再找气恼，我就告辞了。

瞧，全都怪你们不是。是你们唠唠叨叨，劝我来戴上了这副重轭，成天在我耳边念"要有所作为呀""要有所作为呀"。要有所作为！如果一个种出马铃薯来运进城去卖的农民，他不就已经比我更有作为的话，我也甘愿在眼下这条囚禁我的苦役船上再受十年罪。

还有那班麇集此间的小市民们的虚伪与无聊！他们是如此地斤斤计较等级，无时无刻不在瞅着抢到别人前头去一步的机会，以致这种最可悲、最低下的欲望，竟表现得赤裸裸的。比如有一个女人，她逢人便讲她的贵族血统和领地，使每个不谙内情者都只能当她是白痴，要不怎么会神经失常，把自己那点儿贵族的血液和世袭的领地竟看得如此了不起。——更糟糕的是，这个女的偏偏只是本地一名书记官的千金。——是啊，我真不明白这类人，他们怎么竟如此没有廉耻。

不过，好朋友，我一天比一天看得更加清楚，以自己去衡量别人是很愚蠢的。何况我本身有的是伤脑筋的事儿，我这颗心真叫不平静呵——唉，我真乐于让人家走人家的路，只要他们也让我走自己的路就成。

最令我恼火的是市民阶层的可悲处境。尽管我和任何人一样，也清楚了解等级差别是必要的，它甚至还给我本人带来了不少好处，可是，它却偏偏又妨碍着我，使我不能享受这世界上仅存的一点点欢乐，一星星幸福。最近，我在散步时认识了封·B小姐。她是一位在眼前的迂腐环境中仍不失其自然天性的可爱姑娘。我和她谈得十分投机，临别时请她允许我上她家去看她。她大大方方地答应了，使我更加急不可耐地等着约定的时间到来。她并非本地人，住的是一位姑母家里。老太太的长相我一见就不喜欢，但仍然对她十分敬重，多数时间都在和她周旋。可是不到半小时，我便摸清了她的底细，而事后封·B小姐也向我承认了。原来亲爱的姑妈老来事事不如意，既无一笔符合身份的产业，也无智慧和可依靠的人，有的只是一串祖先的名字和可资凭借的贵族地位，而她唯一的消遣，就是从她的楼上俯视脚下的市民的脑袋。据说她年轻时倒是很俊俏的，只是由于行事太诡吊，才毁了自己的一生，开始一意孤行，把不少倒霉的小青年折磨得够呛；后来上了几分年纪，就只好屈就一位软耳根的军官啦。此人以这个代价和一笔勉强够用的生活费，和她一道度过了那些艰辛的岁月。随后他就一命呜呼，丢下了她孤零零一个人，眼下的日子同样艰辛。要不是她那外甥女如此可爱的话，谁还高兴来瞅她一瞅啊。

一七七二年一月八日

真不知这是些什么人，整个的心思都系挂在那种种繁文缛节上，成年累月盘算和希冀的只是怎样才能在宴席上把自己的座位往上挪一把椅子。并非他们除此别无事做；相反，事情多得成堆，恰恰是为忙那些无聊的琐事去了，才顾不上干重要的事。上星期，在乘雪橇出游时便发生了争吵，结果大为扫兴。

这班傻瓜哟，他们看不出位置先后本身毫无意义；看不出坐第一把交椅的，很少是第一号角色！古往今来，不知有多少君王受自己宰相的支配，有多少宰相又被他秘书所驾驭！在这种情况下，谁是第一号人物呢？我认为是那个眼光超过常人，有足够的魄力和心计把别人的力量与热情全动员起来实现自己计划的人。

一月二十日

亲爱的绿蒂，我刚才为避一场暴风雪逃进了一家乡村小客栈；只有到了这儿，我才能给你写信。多久我还困在 D 城那可悲的窠巢里，忙碌在那班对于我的心来说完全是陌生的人们中间，多久我的心就不会叫我写信给你。可眼下，在这所茅屋中是如此寂寞，如此狭隘，雪和冰雹正扑打着我的小窗，在这儿我的第一个思念却是你。我一踏进门，你的情影便出现在我的眼前，唤起了我对你的回忆，绿蒂呵，那么神圣，那么温馨的回忆！仁慈的上帝，这是许久以来你赐予我的第一个幸福时刻啊！

亲爱的，你哪知道我已变得多么心神不定，知觉麻木！我的心没有一刻充实，没有一刻幸福！空虚呀！空虚呀！我好像站在一架西洋镜前，看见人儿马儿在我眼前转来转去，不禁经常问自己，这是不是光学把戏呢？其实，我自己也参加了玩这把戏，或者更正确地说，也像个木偶似的被人玩，偶尔触到旁边一个人的木手，便吓得战栗着缩了回来。晚上，我下决心要享受日出，到了早晨却起不来床；白天，我希望能欣赏月色，天黑了又待在房中出不去。我闹不明白，我干吗起身，干吗就寝。

我的生活缺少了酵母；使我深夜仍精神饱满，一大早就跳下床来的兴奋剂已不知抛到了何处。

在此地我只结识了一个女子，一位名叫封·B的小姐；她就像你啊，亲爱的绿蒂，如果说谁还能像你的话。"哎，"你会说，"瞧这人才会献殷勤哩！"——此话倒也并非完全不对；一些时候以来，我的确变得有礼貌多了，机灵多了——不如此不行呵。所以女士们讲：谁也不如我会说奉承话。"还有骗人的话，"你会补充说。可是，不如此不行呵，你懂吗？——让我还是讲封·B小姐吧。她是一个重感情的姑娘，这从她那一双明亮的蓝眼睛里可以看出来。她的贵族身份只是她的负担，满足不了她的任何一个愿望。她渴望离开扰攘的人群，我不止一次陪着她幻想过田园生活的纯净的幸福，啊，还幻想过你！她是多么经常地不得不崇拜你呵。不，不是不得不，而是自愿；她非常愿意听我讲你的情况，并且爱你。

呵，我真愿能再坐在你脚边，坐在那间舒适可爱的小房间里，看着我们亲爱的孩子们在我的周围打闹嬉戏！要是你嫌他们吵得太厉害，我就可以让他们聚到我身边来，安安静静听我讲一个可怕的故事。

美丽的夕阳慢慢沉落在闪着雪光的原野上，暴风雪过去了，而我呢，又必须把自己关进我那笼子里去……

再见！阿尔伯特和你在一起吗？你究竟过得……？上帝饶恕我提这个问题！

二月八日

八天来天气坏得不能再坏，但对于我却太好啦。须知，自从我到此地以后，还没有一个天气好的日子不是让人破坏了或者搞得不痛快的。"哈，这会儿你尽管下雨、飞雪、降霜、结冰好了，"我想，"我反正待在屋子里也不会比外面坏，或者恰恰相反，倒好一些。"每当早上太阳升起，预示着有一个好日子的时候，我便忍不住要嚷："今儿个上帝又降了一个恩惠，好让他们去你抢我夺啦！"他们互相抢夺着健康、荣誉、欢乐和休息，而且这样做多半是出于愚昧无知和心胸狭隘；可你要听他们讲起来，存心却又像好得不能再好了。我有时真想跪下去求他们，别这么发疯似的大动肝火好不好。

二月十七日

我担心，我的公使与我共事不长了。这个简直叫你受不了。他办公和处理问题的方式十分可笑，我常常禁不住要讲出自己的看法来，或者干脆按照自己的想法和方式行事，结果自然从来不能令他满意。最近他到宫里去告了我，部长也就给了我一个申斥，虽说相当和缓，但申斥毕竟是申斥。我已准备提出辞呈，这当口却收到了他的一封亲笔信①；这是一封怎样的信呵！在它所包含的崇高、高尚和英明的思想面前，我不能不五体投地。他责备我有失偏激。他说，我对办事效率、对影响他人、对干预政务等问题的想法，固然表现了年轻人的朝气，值得尊重，但是却操之过急。因此，他并不准备教我打消这些想法，而只希望使它们和缓一点，只希望引导它们，让它们发挥好影响，产生积极切实的作用。真的，有八天之久，我感到深受鼓舞，心情格外舒畅。内心的平静确是一件珍宝，简直就是欢乐本身。亲爱的朋友，要是这珍宝既贵重美丽，又不易破碎就好喽！

二月二十日

上帝保佑你们，亲爱的朋友！愿他把他从我这儿夺去的好日子，统统赐予你们吧。

我感谢你，阿尔伯特，感谢你瞒着我。我一直等着你们结婚的消息；我已下定决心，一旦这大喜的日子到来，就将郑重其事地从墙上把绿蒂那张剪影像取掉，藏到其他画片中间去。喏，眼下你们已经成为眷属，可她的像仍然挂在这里；是的，还要让它一直挂下去！为什么不呢？我知道，我也仍然存在于你们那儿，存在于绿蒂心中，但并未妨碍你，是的，我在她心中占据着第二个位置，并且希望和必须把这个位置保持下去。呵，要是她把我忘了，我就会发疯的……这个想法太可怕，阿尔伯特。再见，阿尔伯特！再见，绿蒂，我的天使！

---

① 由于对这位杰出的人物的尊敬，编者从书里抽去了这封信以及后文提到的别一封信。因为编者认为，不这样未免冒失，就算能得到读者的热诚感谢吧，也仍然是不可原谅的。(作者注)

三月十五日

我触了一个霉头，看起来是非离开此地不可啦。我咬牙切齿！见鬼！事情绝无补救，而要怨就只能怨你们。是你们鼓动我，催促我，折磨我，使我接受了这份与我性情不合的差事。这下我可好了！这下你们可好了！为了不让你讲什么又是我思想偏激才把一切弄糟了的，现在我请你，亲爱的先生，听听下面这段简短有趣的故事，它将是原原本本的纪实。

C 伯爵喜欢我，器重我，这你知道，我已经对你讲过上百遍了。就在昨天，我在他府上吃饭，可没想到正巧碰着个当地的贵族男女晚上要来他家聚会的日子；再说我也从来没留心，像我们这样的小人物是不容插足他们的集会的。好啦。我在伯爵府上吃饭，饭后我们在大厅中踱起步来，我和伯爵谈话，和一位后来的上校谈话，不知不觉间聚会的时候就到了。天晓得，我却压根儿没想到呵。这当口，最最高贵的封·S 太太率领着自己的丈夫老爷以及她那只孵化得很好的小鹅——一位胸部扁平、纤腰迷人的千金走进来了，并且在经过我身边时高高扬着他们那世袭的贵族的眼睛和鼻孔。我打心眼儿里讨厌这号人，因此打算一等伯爵与他们寒暄完就去向他告辞，谁知这时我那 B 小姐又进来了。我每次一见她总感到几分欣喜，便留下来，站在她的椅子背后，过了好一会儿才发现她和我交谈不如平时随便，样子也颇尴尬。我觉得奇怪。"原来她也跟那班家伙一样哩。"我暗想，不禁生起气来，准备马上走；可我仍留下了，因为我很希望是错怪了她，不相信她真会如此，希望能从她口里听见一句好话，并且……谁知还希望什么。这其间，聚会的人已经到齐：有穿戴着参加弗朗茨一世①加冕时的全套盛装的 F 男爵，有带着自己的聋子老婆、在这种场合被郑重地称为封·R 大人的宫廷顾问 R，等等。此外，还不应忘记提到捉襟见肘的 J，他在自己满是窟窿的老古董礼服上，打着许多时新的补丁。聚到一块儿的就是这种人物。我与其中几个我认识的攀谈，他们全都爱理不理。我想……我只留心着我的 B 小姐，没注意到女人们都凑到大厅的一头上，在那儿叽叽咕咕地咬耳朵；没注意到，后来男人们也受了传染；没注意到，封·S 夫人一个劲地在对伯爵讲什么（这些情形全是事后 B 小姐告诉我的），直到伯爵终于向我走来，把我领到一扇窗户跟前。

"您了解我们的特殊处境，"他说，"我发现，参加聚会的各位对您在场感到不满。我本人可是说什么也不想……"

"阁下，"我抢过话头说，"千万请您原谅，我早该想到才是呵。不过我知道，您会恕我失礼的。我本早想告辞，却让一个恶灵给留住了。"我微笑着补充道，同时鞠了一躬。

伯爵含意深长地紧紧握着我的手。我不声不响地出了一帮贵族聚会的大厅，到得门外，坐上一辆轻便马车，向着 M 地驶去。在那儿，我一边从山上观赏落日，一边读着我的荷马，听他歌唱俄底修斯如何受着好客的牧猪人的款待。一切都是如此美好啊。

傍晚回寓所吃饭，在客厅里只剩几个人。他们挤在一个角落里掷骰子，把桌布都翻了起去。这当儿为人诚恳的阿德林走进来，脱下帽子，一见我就靠拢来低声说：

"你碰钉子了？"

"我？"我问。

"可不是，伯爵把你从集会里赶出来啦。"

"见他们的鬼去！"我说，"我倒宁肯出来呼吸呼吸新鲜空

---

① 弗朗茨一世（Franz der Erste，1708—1765），"德意志民族的神圣罗马帝国"的皇帝，1745 年加冕。

气呐。"

"这样就好，你能不在乎。"他说，"可令我讨厌的是，眼下已经闹得满城风雨。"

到这时候，我才感觉不自在起来。所有来进餐的人都盯着我瞧，我想原因就在这里吧！这才叫恼人呵。

甚至在今天，我走到哪儿，哪儿的人都对我表示同情；我还听见一些本来嫉恨我的人洋洋得意地讲："这下瞧见了，那种妄自尊大的家伙会有怎样的下场。他们凭着点小聪明就自以为了不起，把一切全不放在眼中……"诸如此类的混账话还有的是。我真恨不得抓起刀来，刺进自己的心窝里去；要知道你们尽可以说什么自行其是，不予理睬，可我倒想看看，有谁能忍受占了上风的无赖们对自己说东道西。他们的话要是凭空捏造，唉，那倒也罢了。

三月十六日

所有的事情都叫我生气。今天我在大街上碰见 B 小姐，忍不住招呼她。一旦我们离开人群远了点，我就向她发泄对她最近那次态度的不满。

"呵，维特，"她语气亲切地说，"既然你了解我的心，怎么还能这样解释我当时的狼狈不安呢？从跨进大厅的一刻起，我就多么为你难受啊！我已预见到后来发生的一切，话到舌头无数次，只差对你讲出来。我知道，封·S 和封·T 宁肯带着她们的男人退场，也不愿和你在一起。我知道，伯爵也不好得罪他们……眼下可热闹啦！"

"眼下怎样了，B 小姐？"我问，同时掩饰着内心的恐惧；而前天阿德林给我讲的一切，此刻就像沸腾的开水似的在我血管里疾速流动起来。

"你可害得我好苦呵!"说着说着,可爱的人儿眼里就噙满了泪水。

我再控制不住自己,已准备跪倒在她脚下。

"请你有话就说出来吧。"我嚷道。

泪珠顺着她的脸颊往下淌,我完全失去了自制。她擦着眼泪,一点没有掩饰的意思。

"你知道我姑妈,"她开始讲,"当时她也在场,并且以怎样的目光盯着你哟!维特,我昨天晚上好不容易才熬过来,今儿一天又为和你交往挨了一顿训。我还不得不听着她贬低你,辱骂你,一点不能为你辩解,不好为你辩解。"

B小姐说的每一句话,都像剑一样刺痛我的心。她体会不到,如果不提这一切对我来说是多么大的仁慈。现在她又告诉我人家还有哪些流言蜚语,以及谁谁谁将因此洋洋得意。她说,那些早就指责我傲气和目中无人的家伙,眼下对于我受的报应真是心花怒放,乐不可支。听着她,威廉,听着她以怀着真诚同情的声调讲这些……我当时气得肺都炸了,眼下也仍然怒火中烧。我那会儿真希望有谁站出来指责我,这样我便可以一刀戳穿他;也许见了血,我的心中会好受些。呵,我曾上百次地抓起刀来,想要刺破自己的胸膛,以舒心中的闷气。人说有一种宝马,当骑手驱赶过急,它便会本能地咬破自己的血管,使呼吸变得舒畅一些。我的情形经常也就如此,真巴不得切开自己的一条动脉,以便获得永远的自由。

三月二十四日

我已向宫里要求辞职,希望能得到批准;我没有事先征得你们同意,想必你们不会怪罪我吧。我反正是非走不可了;而你们为劝我留下可能说的话,我也都知道……对了,请你把此事尽可能委婉地告诉我母亲,我自己已是无计可施,如果不能使她称心,那就只有求她原谅。自然,这必定会叫她难过:眼看自己儿子业已开始的做枢密顾问和公使的美好前程就此断送,前功尽弃!你们爱怎么想就怎么想好了,任随想出几多我可以留下和应该留下的理由,一句话,我反正得走。为了让你们知道我的去向,我就告诉你,这儿有一位侯爵,他很乐于和我结交。当他得知我辞职的打算以后,便邀我到他猎庄上去,和他共度明媚的春天。他答应到时候让我自便,加之我们在一起还相互有某种程度的理解,我就想碰碰运气,随他一块儿去。

补 记

四月十九日

感谢你的两封来信。我迟迟未作回答,是因为我把这封信压下了,一直等到辞呈批下来;我担心母亲会去找部长,使我的打算难以实现。眼下可好了,辞呈已经摆在面前。我不想告诉你们,上边是多么不愿意批准它,以及部长在信中写了些什么话;否则,你们又该抱怨开来。亲王赠我二十五个杜尔盾,作为解职金,我感动得几乎掉下泪来。这就是说,我不需要母亲再寄给我最近信上要的那笔钱了。

五月五日

我明天就要离开这儿;因为我的故乡离途经的某地只有六英里,我于是打算再去看看它,回忆回忆那些业已逝去的充满幸福梦想的日子。想当年,父亲故去以后,母亲领着我离开可爱的家园,把自己关进了城里;如今我又要走进她曾领着我出来的同一道门里去。再见，威廉，我在途中会给你写信的。

五月九日

我怀着朝圣者的虔敬心情，完成了我的故乡之行；一些意想不到的情感曾在我心中油然而生。在出城向 S 地走一刻钟处的那株大菩提树旁，我叫车夫停了下来。我下了车，打发邮车继续往前走，自己准备步行，以便随心所欲地唤起对往事的回忆，尽情地加以重温。瞧我又站在这株菩提树下啦！儿时，我曾无数次地以它为散步的终点和目的。世事无常！当初，无知而幸福的我多么渴望到那陌生的世界里去，为我的心寻找丰富的营养，无尽的享受，使我郁闷焦躁的胸怀得以舒畅，得到满足；如今，我从广大的世界上归来，我的朋友呵，可希望已一个个破灭，理想也尽皆消亡！

我看见那些山峰仍兀立眼前，我曾多少次希望去攀登它们呵！我曾几小时几小时地坐在这菩提树下，心儿却已飞过山去，尽情地神游在山后的森林与峡谷中；在我眼里，它们显得如此亲切，如此神秘。每当到了回家的时刻，我又多么恋恋不舍，不愿离开这可爱的所在呵！

离城渐渐近了。所有古老的、熟悉的花园小屋都得到了我的问候，而新建的却令我反感，一如其他所有由人造成的变化。我穿过城门，一下子就感觉自己到了家。好朋友，我不想细谈。这些对我具有极大魅力的事物，讲出来却会十分单调乏味。我决定下榻在市集广场上，紧靠着我们家的老屋。我在散步时发现，我们被一位认真的老太太塞在里边度过了童年时代的教室，如今已变成一家杂货铺。我回味着在这间小屋里经历过的不安，悲伤，迷惘和恐惧。——几乎每跨一步，我都能遇上吸引我注意的事物；即使一个朝圣者到了圣城，也找不到如许多值得纪念的地方，他的心也很难充满如许多神圣的激情呵。——仅再举千百件经历中的一件为例。我沿河而下，走到了有一个农场的地方；从前我也常来这儿，我们男孩子们练习用扁平的石块在河面上打水漂儿。我还记忆犹新的是，我有时站在江边目送着江水，心中充满了奇妙的预感，脑子里想象着江水正要流去的不可思议的地域，但很快便发现自己的想象力到了尽头；尽管如此，我仍然努力想下去，直到终于忘情在一个看不见的远方。——你瞧，朋友，我们那些杰出的祖先尽管孤陋寡闻，却也非常幸福！他们的感情和诗是那么天真！当俄底修斯讲到无垠的大海和无边的大地时，他的话是那么真实、感人、诚挚、幼稚而又十分神秘。现在，我可以和每一个学童讲，地球是圆的，可这对我又有何用处呢？人只需要小小一块土地，便可以在上边安安乐乐；而为了得到安息，他所需的地方就更小了。

眼下我已住在侯爵的猎庄上。这位爵爷待人真诚随和，倒也十分好处。可在他周围，却有一些令我简直莫名其妙的怪人。他们似乎并非奸诈之徒，但又没有正派人的样子。有时候，我也觉得他们是诚实的，但仍不能予以信赖。最令我感觉不快的是，侯爵经常人云亦云，高谈阔论，讲一些听到和读到的东西。

再说，他之重视我的智慧和才气，也胜过重视我的心；殊不知我的心才是我唯一的骄傲，才是我的一切力量、一切幸福、一切痛苦以及一切一切的唯一源泉！唉，我知道的东西谁都可以知道，而我的心却为我所独有。

五月二十五日

我脑子里有过一个计划，但在它实现以前，我本不想告诉你。现在反正不会成功，说说也无妨。我曾经希望去从军！这个想法在我心中久已有之；我所以追随侯爵来到他庄上，主要目的也在于此,因为他是×××地方的现役将军。一次在散步时,我把自己的打算透露给他;他劝我打消这个念头,说除非我真的有此热情,而不是一时胡思乱想,否则我就必须听从他的规劝。

六月十一日

随你讲什么吧,反正我是待不下去了。你要我在这儿干吗呢?日子长得叫我难过。至于侯爵,他待我要说多好有多好,可我仍然感到不自在。归根到底,我们之间毫无共同之处。他是个有理解力的人,但也仅仅是平平庸庸的理解力罢了;与他交往带给我的愉快,不见得比读一本好书来得多。我打算再待八天,然后又四处漂泊去。我在此间干的最有意义的事是作画。侯爵颇具艺术感受力;他要不是受讨厌的科学概念和流行术语的局限,对艺术的理解就会更深刻一些。有不少次,正当我兴致勃勃地领着他在自然与艺术之宫中畅游,他却突然自作聪明,从嘴里冒出一句艺术行话来,直把我恨得牙痒痒的。

六月十六日

唉,我不过是个漂泊者,是个在地球上来去匆匆的过客!难道你们就不是么?

六月十八日

我打算去哪儿?让我对你说实话吧。我不得不在此地再逗留十四天,然后准备考虑去参观×地的一些矿井;但参观矿井压根儿不算回事,目的还是想借此离绿蒂近一些,如此而已。我自己也不禁笑起自己这颗心来;但笑尽管笑,却仍然迁就了它。

七月二十九日

不，这样很好！好得无以复加！……我……她的丈夫！呵，上帝，是你创造了我，要是你还给了我这么个福分，那我这一生除了向你祈祷以外，便什么也不再做。我不想反抗命运，饶恕我的这些眼泪，饶恕我的这些痴心妄想吧！——她做我的妻子！要是我能拥抱这个天底下最可爱的人儿，那我就……

每当阿尔伯特搂住她纤腰的时候，呵，威廉，我的全身便会不寒而栗。

然而，我可以道出真情吗，威廉？为什么不可以？她和我在一起会比和他在一起幸福啊！他不是那个能满足她心中所有愿望的人。他这人缺乏敏感，缺乏某种……随你怎么理解吧，总之，在读到一本好书的某个片断时，他的心不会产生强烈的共鸣，像我的心和绿蒂的心那样；还有，经常地，当我们发表对另外某个人的行为的感想时，情况同样如此。亲爱的威廉！他虽说也专心一意地爱着她，但这样的爱尽可以获得任何别的报偿啊！

一个讨厌的来访者打断了我。我的泪水已经擦干，心也乱了。再见，好朋友！

八月四日

不只我一个人的处境是这样。所有的人都失望了，所有的人都遭到了命运的欺骗！我去看望住在菩提树下那位贤慧的妇人。她的大儿子跑上来迎接我；听见他的欢叫声，母亲也走了出来，一副垂头丧气的模样。她第一句话就告诉我："先生，我的汉斯已经死了。"——汉斯是她最小的一个儿子。我无言以对。——"还有我的丈夫，"她继续说，"他也两手空空地从瑞士回家来，要不是遇着些好人，他不讨饭才怪哩。他在半道上得了寒热病。"——我不知对她说什么好，只送了一点儿钱给她的小孩；她请我收下几只苹果，我接过了，带着忧伤的回忆离开了那地方。

八月二十一日

一眨眼，我的境况完全变了。有几次，我眼前又闪现过生活的欢愉的光辉，可惜转瞬即逝！——每当我堕入忘我的梦幻中，我便禁不住产生一个想法："要是阿尔伯特死了又将怎样呢？你会的！是的，她也会……"随后，我便跟着自己的胡思乱想追去，直至被领到悬崖边上，吓得浑身战栗着往后退。

我出得门来，循着当初去接绿蒂参加舞会的大路走啊走啊，可是已经面目全非！一切已如过眼云烟！没有留下昔日世界的一丝痕迹，半缕情绪。我的心境恰似一个回到自己宫堡中来的幽灵：想当初，他身为显赫的王侯，建造了这座宫堡，对它极尽豪华装饰之能事，后来临终时又满怀希望地把它遗留给自己的爱子；看眼前，昔日的辉煌建筑已烧成一片废墟。

九月三日

我有时真不能理解，怎么还有另一个人能够爱她，可以爱她；要知道我爱她爱得如此专一，如此深沉，如此毫无保留，除她以外，我就什么也不知道，什么也不了解，什么也没有了呵！

九月四日

是的，就是这样，正如自然界已转入秋天，我的心中和我的周围也已一派秋意。我的树叶即将枯黄，而邻近我的那些树木却在落叶了。我上次刚到此地，不是对你讲过一个青年农民么？这次在瓦尔海姆我又打听他的情况，人家告诉我，他已被解雇了；此外就谁也不肯再讲什么。昨天，在通往邻村的路上，我碰见他，与他打招呼，他于是给我讲了他的故事。要是我现在再讲给你听，你将很容易理解，这个故事为何令我感动不已。可是，我干吗要讲这一切，干吗不把所有令我担忧、令我难受的事情藏在自己心中，而要让你和我一样不痛快呢？干吗我要给你一次一次机会，让你来怜悯我，骂我呢？随它去吧，这也许是我命中注定了的！

经我问起，这青年农民才带着默默的哀愁——我看还有几分羞怯——讲起他自己的事。但一讲开，他就突然像重新认识了自己和我似的，态度变得坦率起来，向我承认了自己的错误，并开始抱怨他的不幸。我的朋友，我现在请你来判断他的每一句话吧！

他承认，不，他是带着一种回忆往事的甜蜜和幸福的神情在追述，他对自己女东家的感情如何与日俱增，弄到后来六神无主，不知道自己该做什么，该说什么。他吃不进，喝不下，睡不着，嗓子眼好似给堵住了一样。人家不让他做的事，他做了；人家吩咐他做的事，他又给忘了，恰像有个恶灵附了体。直到有一天，他知道她在阁楼上，便跟着追了去，或者更确切地说，被吸引了去。由于她怎么也不听他的请求，他自己也不知怎么搞的，竟想对她动起蛮来；不过上帝做证，他对她的存心始终是正大光明的，别无其他欲念，只是想娶她做老婆，让她和他一起过日子而已。因为已经讲了相当久，他开始结巴起来，就像一个还有话讲但又不好说出口的人似的。最后，他还是很难为情地向我坦白，她允许了他对自己做一些小小的亲热表示，让他成为她的知己。他曾两三次中断叙述，插进来反复申辩，他讲这些不是想败坏她的名誉；他并且表示，他仍像过去一样地爱她，尊重她，要

不是为了教我相信他并非完全是个头脑发昏的家伙，他才不会把
这些事泄露出来呐。

　　喏，好朋友，我又要重弹我永远弹不厌的老调了：要是我能
让你想象出这当时站在我跟前、眼下也仍像站在我跟前的人是个
什么样子，那该多好呵！要是我能正确地讲述一切，让你感觉出
我是如何同情他的命运，不得不同情他的命运，那该多好呵！总
之，由于你了解我的命运，也了解我本人，你就会十分清楚地知
道，是什么使我的心向着一切不幸者，尤其是这个不幸的青年
农民。

　　我在重读此信时，发现忘记了讲故事的结尾；而结尾如何，
是很容易猜想的。女东家没有同意他，她的兄弟也插了手。此人
早就恨他，早就巴不得把他撵走，生怕自己姐姐一改嫁，他的孩
子们就会失去财产继承权；她本身没有子女，所以他们眼下是大
有望头的。这位舅老爷不久便赶走了年轻人，并且大肆张扬，闹
得女东家本人即便再想找他回去也不可能了。眼下她已另雇了一
个长工；而为着这个长工，据说她又和自己的弟弟吵翻了，人家
断定她会嫁给他，可她弟弟却死活不答应。

　　我对你讲的一切绝无夸大，绝无涂脂抹粉；相反，倒可以说
讲得不好，不来劲儿，而且是用我们听惯了的无伤大雅的语言在
讲，也就失去了原有的情致。

　　这样的爱情，这样的忠心，这样的热诚，才不是诗人杜撰得
出来的哩！如此纯真的情感，只存在于那个被我们称为没教养
的、粗鲁的阶级中。我们这些有教养的人，实际上是被教养成了
一塌糊涂的人！毕恭毕敬地读读这个故事吧，我求你。今天我由
于写下了它，心情格外平静；再说，你从我的字迹也看得出，我
可不是像平时那样心慌意乱，信手涂鸦的呵。读吧，亲爱的威
廉，并且在读的时候想着，这也是你的朋友的故事。可不是么，
我过去的遭遇和他一样，将来也会一样；只是我不如这个穷苦的

不幸者的一半勇敢，一半坚决，我几乎没有拿自己与他相比的勇气。

九月五日

她的丈夫在乡下办事，她写了一张便条给他，开头一句是：

"亲爱的，我的好人，你赶快回来吧，我怀着无比的喜悦期待着你。"

碰巧一位朋友带来消息，说他有些事务未了，不能马上回来。这样字条便一直摆到桌上，当晚落到了我的手里。我读着读着就微笑了。她问我笑什么。

"人的想象力真是神赐的礼物。"我脱口说出，"我有一会儿恍惚觉得，它就是写给我的。"

她听了不再言语，样子似乎不高兴；我也只好沉默下来。

九月六日

我好不容易才下定决心，脱掉我第一次带绿蒂跳舞时穿的那件青色燕尾服；它式样简朴，穿到最后简直看不得了。我又让裁缝完全照样做了一件，同样的领子，同样的袖头，再配上一式的黄背心和黄裤子。

可新做的总不能完全称我的心。我不知道……我想，过段时间也许会好一点吧。

九月十二日

为了接阿尔伯特，她出门去了几天，今天我一跨进她的房间，她便迎面走来，我于是高高兴兴地吻了她的手。

从镜台旁飞来一只金丝雀，落在她的肩上。

"一个新朋友，"她一边说，一边把雀儿逗到她手上，"是送给小家伙们的。你瞧多可爱！你瞧！每次我喂它面包，它都扑打双翅，小喙儿啄起来可真灵巧。它还和我接吻哩，你瞧！"

她说着便把嘴唇伸给金丝雀，这鸟儿也将自己的小喙子凑到她的芳唇上，仿佛确曾感受到了自己所享受的幸福似的。

"让它也吻吻你吧。"绿蒂道，同时把金丝雀递过来。

这鸟喙儿在她的嘴唇和我的嘴唇之间起了沟通作用，和它轻轻一接触，我仿佛就吸到了她的芳泽，心中顿时充满甜美无比的预感。

"它和你接吻并非毫无贪求，"我说，"它是在寻找食粮，光亲热一下会令它失望而去的。"

"它也从我嘴里吃东西，"她说，——她真就用嘴唇衔着几片面包屑递给它；在她那嘴唇上，洋溢着最天真无邪和愉快幸福的笑意。

我转开了脸。她真不该这样做啊！不该用如此天真无邪而又令人销魂的场面，来刺激我的想象力，把我这颗有时已由对生活的淡漠摇得入睡了的心重又唤醒！——为什么不该呢？——她是如此信赖我！她知道，我是多么爱她！

九月十五日

我真给气疯了，威廉，世上还有点价值的东西本已不多，可是人们仍不懂得爱护珍惜。你知道那两株美丽的胡桃树，那两株我和绿蒂去拜访一位善良的老牧师时曾在它们底下坐过的胡桃树！一想到这两株树，上帝知道，我心中便会充满最大的快乐！它们把牧师家的院子变得多么幽静，多么荫凉呵！它们的枝干是那样挺拔！看着这两株树，自然便会怀念许多年前栽种它们的那两位可敬的牧师。乡村学校的一个教员向我们多次提到他俩中一位的名字，这名字还是他从自己祖父口里听来的。人都讲了，这位牧师是个很好的人；每当走到树下，你对他的怀念便会显得神圣起来。告诉你，威廉，当我们昨天谈到这两株树已给人砍了的时候，教员就已眼泪汪汪的。砍掉了！我气得几乎发疯，恨不得把那个砍第一斧头的狗东西给宰啦。说到我这个人，那真是只要看见自己院子里长的树中有一棵快老死了，心里也会难过得要命。可也有一件，亲爱的朋友，人们到底还是有感情的！全村老小都抱怨连天；我真希望牧师娘子能从奶油、鸡蛋以及其他东西上感觉出，她给村子造成了多大的伤害。因为这个新牧师的老婆（我们的老牧师已经去世），一个瘦削而多病的女人，她有一切理由不喜欢这个世界，世人中也没有一个喜欢她；而她正是砍树的罪魁。这个自命博学的蠢女人，她还混在研究《圣经》的行列里，起劲地要对基督教进行一次新式的、合乎道德的改革，对拉瓦特尔的狂热不以为然；她的健康状况糟透了，因此在人世上全无欢乐可言。也只有这样一个家伙，才可能干出砍树的勾当来。你瞧我这气真是平不了啦！试想一想，就因为什么树叶掉下来会弄脏弄臭她的院子，树顶会挡住她的阳光，还有胡桃熟了孩子们会扔石头去打，等等，据说这些都有害于她的神经，妨碍她专心思考，妨碍她在肯尼柯特[1]、塞姆勒[2]和米夏厄里斯[3]之间进行比较权衡。我看见村民们，特别是老人如此不满，便问："你们当时怎么竟听任人家砍了呢？"

他们回答："在我们这地方，只要村长想干什么，你就毫无办法。"

---

① 肯尼柯特（Benjamin Kennikot, 1718—1783），英国神学家。
② 塞姆勒（Johann Salomo Semler, 1725—1791），德国新教神学家。
③ 米夏厄里斯（Johann David Michaelis, 1717—1791），德国神学家和东方学家。

可有一点倒也公平：牧师从自己老婆的怪癖中从未得到过甜头，这次竟想捞点好处，打算与村长平分卖树的钱；谁知镇公所知道了说，请把树送到这儿来吧！因为镇公所对长着这两棵树的牧师宅院从来拥有产权，便将它们卖给了出价最高的人。树反正砍倒啦！呵，可惜我不是侯爵！否则我真想把牧师娘子、村长和镇公所统统给……侯爵！……可我要真是侯爵，哪儿还会关心自己领地内的那些树啊？

十月十日

每当我看见她那双黑眼睛，我心中便十分快乐！使我感到不安的是，阿尔伯特似乎并不那么幸福，不像他希望……不如我自以为会……要是我……

我本不爱用删节号，但在这儿没有其他办法表达自己的意思；即使如此，我想也说得够清楚了。

十月十二日

莪相已从我心中把荷马排挤出去。这位杰出的诗人领我走进了一个何等样的世界呵！我漂泊在荒野里，四周狂风呼啸，只见在朦胧的月光下，狂风吹开弥漫的浓雾，现出了先人的幽灵。我听见从山上送来的林涛声中，夹杂着洞穴里幽灵们的咽咽哭声，以及在她的爱人——那高贵的战死者长满青苔的坟茔上哭得死去活来的少女的泣诉。蓦然间，我瞅见了他，瞅见了在荒野里寻觅自己祖先的足迹的白发行吟诗人；可他找到的，唉，却只是他们的墓碑。随后，他叹息着仰望夜空中灿烂的金星，发现它正要沉入波涛汹涌的大海，而往昔的时光便活现在他英雄的心中；要知道这和蔼的星光也曾照临过勇士们的险途，这明月也曾辉耀过他们凯旋归来时扎着花环的战船啊。在白发诗人的额间，我发现了深深的苦闷；我看见这最后一位孤独的伟人，他正精疲力竭地向着自己的坟墓蹒跚行去，一边不断地从已故亲人的虚幻无力的存在中吸取令人感到灼痛的欢乐，俯视着冰冷的土地和在狂风中摇曳不定的深草，一边口里呼道："有个漂泊者将会到来，他曾见过我的美好青春；他将会问：'那位歌手在哪里？芬戈①杰出的儿子在哪里？'他的脚步将踏过我的坟头，他将在大地上四处将我寻索，但却找不着我。"

啊，朋友！我真愿像一位忠诚的卫士拔出剑来，一下子结果我这位君王的性命，以免除他慢慢死去的痉挛的痛苦，然后再让我的灵魂去追随这位获得解放的半神。

十月十九日

多么空虚啊！我的胸口里觉得可怕的空虚！——我常常想，哪怕你能把她拥抱在心口一次，仅仅一次，这整个的空虚就会填满了。

十月二十六日

是的，好朋友，我将会确信，越来越确信，一个人的生命的价值是很少的，非常非常少！一个女朋友来看绿蒂，我便退到隔壁房间，拿起一本书来读，却读不进去，随后又取过一支笔想写点什么。这当儿，我听见她们在低声交谈，相互报告一些不足道的事，无外乎谁谁结了婚，谁谁生了病、病得很重之类的本地

① 芬戈（Fingoi）相传为三世纪时的苏格兰国王，据说莪相是他的儿子。

要闻。

"她现在老是干咳，脸上颧骨这么高，还常常晕倒，我看是活不长喽。"客人说。

"那个 N. N 的情况也一样糟。"绿蒂应着。

"他已经浮肿了。"客人又讲。

听她俩这么聊着，我在想象中已去到那两个可怜人的病榻前，看见他们如何苦苦挣扎，留恋生命，如何……

可是，威廉呵，我这两位女士却满不在乎地谈着他们，就像谈一个素不相识者快死了似的！我环顾四周，打量着我所在的房间，打量着放在这儿那儿的绿蒂的衣物，阿尔伯特的文书，以及这些我现在已经十分熟悉的家具，乃至这个墨水池，心里不禁就想："瞧，你现在对这个家庭有多么重要啊！太太重要了！你的朋友们敬重你。你常常带给他们快乐；而你的心里也觉得，似乎离了他们你就活不下去。可是——你要是这会儿走了，从他们的圈子里消失了，他们又将有多久会感到失去你给他们的生活造成了缺陷呢？多久？唉，人生才叫无常呵！他甚至在对自己的存在最有把握的地方，在留下了他存在的唯一真实印记的地方，在他的亲爱者的记忆中，在他们的心坎里，也注定了要熄灭，要消失，而且如此的快！

十月二十七日

人对人竟如此地缺少价值，一想起来我常常恨不得撕破自己的胸膛，砸碎自己的脑袋。唉，要是我不带来爱情、欢乐、温暖和幸福，人家就不会白白给我；另一方面，就算我心里充满了幸福，也不能使一个冷冰冰地、有气无力地站在我面前的人幸福啊。

同日晚

我具有再多精力，也会被对她的热情吞噬掉；我具有再多天赋，没有她一切都将化作乌有。

十月三十日

我已有上百次几乎就要拥抱她了！伟大的主知道，当一个人面前摆着那么可爱的东西而又不能伸出手去攫取时，他心头会多难受。攫取本是人类最自然的欲望。婴儿不总是伸出小手抓他们喜爱的一切么？——可我呢？

十一月三日

上帝知道，我在上床时常常怀着这样一种希冀，是的，有时甚至是渴望，不要再醒来了吧！因此，第二天，当我早上睁开眼睛又见到太阳时，心里便异常难受。唉，要是我在心绪不佳时能怪天气，怪第三者，怪一件没做成功的事情，那也倒好，我身上的难受劲儿定会减少一半。多可悲啊，我的感觉千真万确，一切的过错全在我自己！——不，不是过错。总之，正如一度一切幸福的根源全存在于我本身，现在一切痛苦的根源也在我自己身上。当初，我满心欢喜地到处游逛，走到哪儿，哪儿就变成了天国，心胸开阔得可以容下整个宇宙，难道这个我不是同一个人么？可如今，这颗心已经死去，从中再也涌流不出欣喜之情；我的眼睛枯涩了，再也不能以莹洁的泪水滋润我的感官；我的额头更是可怕地皱了起来。我痛苦之极；我已失去自己生命中唯一的欢乐，唯一神圣的、令我振奋的力量，我用它来创造自己周围的世界的力量，这力量业已消逝！

　　我眺望窗外远处的山岗，只见日光刺破岗上的浓雾，洒布在下面静静的草地上；在已经落叶的柳丝间，一条蜿蜒曲折的小河缓缓向我流来……呵，要是这如此美好的景色已像一幅漆画似的在我眼前凝滞不动，不能再娱悦我心，使它产生出丝毫的幸福感觉，那我这整个人在上帝面前不就成了一口干涸的水井，一只破底儿的水桶么。我常常扑倒在地，祈求上苍赐给我眼泪，就像一个头顶上是铁青色的天，四周是干裂的土地的农夫在祈雨一样。

　　但是，唉，我感觉到，上帝绝不会因为我们拼命哀求就赐给我们雨水和阳光！可那些我一回首就心里难过的过去的时光，它们为何又如此幸福呢？是因为那时我十分耐心地期待着他的精神来感召我，满怀感激地、专心一意地接受着他倾注到我身上的欢愉。

十一月八日

　　她责备我不知节制！啊，态度是如此温柔，亲切！说我不该每次一端起酒杯来就非喝一瓶不可。

　　"别这样，"她说，"想想你的绿蒂吧！"

　　"想！"我反驳道，"还用得着你叫我想吗？我在想啊！——不只是在想！你时刻都在我的心中。今天，我就坐在你不久前从马车上下来的那个地方……"

　　她引开话题，不让我话讲下去。好朋友，我算完了！她想怎样处置我，就可以怎样处置。

十一月十五日

　　我感谢你，威廉，感谢你对我真诚的同情，感谢你的忠告；我请你放心，让我忍受下去吧，我尽管疲惫不堪，仍然有足够的力量支撑到底。我尊重宗教信仰，这你知道；我觉得，它是某些虚弱者的拐杖，奄奄一息的振奋剂。不过，它难道能够对人人都起这个作用么？必须对人人都起这个作用么？要是你看一看这个广大的世界，你就会发现有成千上万的人，对于他们来说宗教信仰并非如此，而且将来也不会如此，无论是旧教还是新教。难道我就非有宗教帮助不可么？圣子耶稣自己不是说过，只有那些天父交给他的人，才能生活在他周围么？要是天父没有把我交给他怎么办？要是如我的心所告诉我，天父希望把我留给自己怎么办？——我请你别误解我，别把这些诚心诚意的话看成是讽刺。我是在对你披肝沥胆，否则我就宁可沉默；因为，对于这一切大家和我一样都不甚了然的事情，我是很不乐意开口的。人不是命中注定要受完他那份罪，喝完他那杯苦酒吗？既然天堂里的上帝呷一口都觉得这酒太苦，我为什么就得充好汉，硬装作喝起来甜呢？此刻，我的整个生命都战栗于存在与虚无之间，过去像闪电似的照亮了未来的黯淡深渊，我周围的一切都在沉沦，世界也将随我走向毁灭；在这样可怕的时刻，我还有什么可害羞的呢？那个被人压迫、孤立无助、注定沦亡的可怜虫，他在最后一刻不也鼓足力气从内心深处发出呼喊："上帝啊，上帝！你干吗抛弃我？"① 那么，我为何就该羞于流露自己的情感，就该害怕这位把天空像手帕一样卷起的神之子尚且不免的一刻呢？

十一月二十一日

她看不出，她感觉不到，她正在酿造一种将把我和她自己都毁掉的毒酒；而我呢，也满怀欣喜地接过她递过来置我于死地的酒杯，一饮而尽。为什么她要常常——常常吗？不，也不常常，

① 据基督教圣经载，这是耶稣被钉上十字架时讲的话。

而是有时候——为什么有时候她要那么温柔地望着我，要欣然接受我下意识的情感流露，要在额头上表现出对我的痛苦的同情呢？

昨天，当我离开时，她握着我的手说："再见，亲爱的维特!"

亲爱的维特! 这是破天荒第一次她叫我作亲爱的，叫得我周身筋骨都酥软了。我把这句话重复了无数次，等到夜里要上床睡觉时，还自言自语叨咕了半天，最后竟冒出一句："晚安，亲爱的维特!"说罢自己禁不住笑起自己来。

十一月二十二日

我不能向上帝祈祷："让她成为我的吧!"尽管如此，我却常常觉得她就是我的。我不能祈祷："把她给我吧!"因为她属于另外一个人。我常常拿理智来克制自己的痛苦；可是，一旦我松懈下来，我就会没完没了地反驳自己的理智。

十一月二十四日

她感觉到了我是多么痛苦。今天她对我的一瞥，深深地打动了我的心。当时我发现只有她一个人在；我沉默无语，她也久久地望着我。如今，我在她身上已见不到动人的妩媚，见不到智慧的光辉；这一切在我眼前业已消失。她现在打动我的，是一种美好得多的目光，是一种饱含着无比亲切的同情、无比甜蜜的怜悯的目光。为什么我不可以跪倒在她脚下呢？为什么我不可以搂住她的脖子，以无数的亲吻来报答她呢？为了避开我的盯视，她坐到钢琴前，伴着琴声，用她那甜美、低婉的歌喉，轻轻唱起了一支和谐的歌。我从来未看见她的嘴唇像这样迷人过；它们微微翕动着，恰似正在吸吮那清泉般从钢琴中涌流出来的一串串妙音；同时，从她的玉口内，也发现神奇的回响。——是的，要是我能用言语向你说清这情景就好了！我再也忍不住，便弯下腰去发誓说：可爱的嘴唇啊，我永远也不会冒昧地亲吻你们，因为你们是天界神灵浮泛的所在啊！——然而……我希望……哈，你瞧，这就像立在我灵魂前面的一道高墙……为了幸福我得翻过墙去……然后下地狱补赎罪过！——罪过？

十一月二十六日

我有时对自己讲："你的命运反正就这样了；祝祷别人都幸福吧——还从来没谁像你这样受过苦哟。"随后，我便读一位古代诗人①的作品，读着读着，仿佛窥见了自己的心。我要受的罪真是太多了！唉，难道在我以前的人们都这样不幸过么？

十一月三十日

不，不，我注定振作不起来了！无论我走到哪里，都会碰见叫我心神不定的事情。比如今天吧！呵，命运！呵，人类！

正午时分，我沿着河边散步，没有心思回去吃饭。四野一片荒凉，山前刮来阵阵湿冷的西风，灰色的雨云已经窜进峡谷里边。远远地，我瞅见一个穿着件破旧的绿色外套的人，在岩石间爬来爬去，像是正在采摘野花似的。我走到近旁，他听见脚步声便转过头来，模样十分怪异。脸上最主要的神情是难言的悲哀，但也透露着诚实与善良。黑色的头发用簪子在脑顶别成了两个卷儿，其余部分则编成一条大辫子拖在背后，看衣着是个地位低微

---

① 指荻相。

的人。我想，他对我去过问他的事是不会见怪的，因此便与他搭起话来，问他找什么。

"找花呗，"他深深地叹了一口气，回答道，"可一朵也找不着。"

"眼下可不是找得到花的季节啊。"我说着微笑了。

"花倒是多得很。"他边讲边向我走下来，"在我家的园子里，长着玫瑰和两种忍冬花，其中一种是我爹送我的，长起来就跟野草一般快；我已经找了它两天，就是找不着。这外边也总开着花，黄的，蓝的，红的，还有那矢车菊的小花儿才叫美呢。不知怎的，我竟一朵也找不到……"

我感到有些蹊跷，便绕个弯儿问："你要这些药干吗呢?"

他脸上一抽动，闪过一丝古怪的笑意。

"您可别讲出去啊，"说时他把食指搁在嘴唇上，"我答应了送给我那心上人儿一束花。"

"这很好嘛。"我说。

"嘞，"他道，"她有好多好多别的东西，可富着呐。"

"尽管这样，她还是一定喜欢您这束花。"我应着。

"嘞，"他接着讲，"她有许多宝石，还有一顶王冠。"

"她叫什么来着?"

"唉，要是联省共和国①雇了我，我就会是另一个人啦!"他说，"可不，有一阵子，我过得挺不错。现在不成了，现在我……"

他眼泪汪汪地抬起头来望着苍天，其他一切全明白了。

"这么说，您也曾经幸福过?"我问。

"唉，要能再像那时候一样就好喽!"他回答，"那时候，我

---

① 联省共和国（die Ceneralstaaten），即十六世纪资产阶级革命成功后的尼德兰（今荷兰），当时在德国人心目中是最富有的国家。

舒服，愉快，自由自在，就跟水中的鱼儿似的！”

“亨利希！”这当儿一个老妇人喊着，循着大路走来，“亨利希，你在哪儿？我们到处找你，快回家吃饭吧！”

“他是您的儿子吗？”我走过去，问。

“可不，我的可怜的儿子！”她回答，“上帝罚我背了一个沉重的十字架啊。”

“他这样多久了？”我问。

“像这样安静才半年，”她说，“就这样还得感谢上帝。从前他一年到头都大吵大闹的，只好用链子锁在疯人院里。现在不招惹任何人了，只是还经常跟国王和皇帝们打交道。从前，他可是个又善良又沉静的人，能供养我，写得一手好字；后来突然沉思默想起来，接着又发高烧，高烧过后便疯了；现在便是您看见的这个样子。要是我把他的事讲给您听，先生……”

我打断她滔滔不绝的话，问：

“他说他曾经有一段时间很自在，很幸福，这指的是怎么一个时候呢？”

“这傻小子！”她怜悯地笑了笑，大声说，“他指的是他神志昏乱的那段时间，他常常夸耀它。当时，他关在疯人院里，精神完全失常了。”

这话于我犹如一声霹雳，我塞了一枚银币在老妇人手里，仓皇逃离了她的身边。

“你那时是幸福的呵！”我情不自禁地喊着，快步奔回城去，“那时候，你自在得如水中的游鱼！——天堂里的上帝，难道你注定人的命运就是如此：他只有在具有理智以前，或者重新丧失理智以后，才能是幸福的么？——可怜的人！但我又是多么羡慕你的精神失常，知觉紊乱呵！你满怀着希望到野外来，为你的女王采摘鲜花，在冬天里！你为采不到鲜花而难过，不理解为什么竟采不到。而我呢，从家里跑出来时既无目的，也无希望，眼下回家去时依然如此。你幻想着，要是联省共和国雇用你，你就将成为一个了不起的人。幸福啊，谁要能把自身的不幸归因于人世的障碍！你感觉不出，感觉不出，你的不幸原本存在于你破碎的心中，存在于你被搅乱了的头脑里；而这样的不幸，全世界所有的国王也帮你消除不了啊。"

谁要嘲笑一个病人到远方的圣水泉去求医，结果反倒加重自己的病痛，使余生变得更难忍受，谁就不得善终！谁要蔑视一个为摆脱良心的不安和灵魂的痛苦而去朝拜圣墓的人，谁同样不得善终！要知道这个朝圣者，他的脚掌在荆棘丛生的道路上踏下的每一步，对他充满恐惧的灵魂来说，都是一滴镇痛剂；他每坚持着朝前走一天，晚上躺下时心里都要轻松得多。——难道你们能把这称作是妄想么，你们这些舒舒服服坐在软垫子上的清谈家？——妄想！上帝呵，你看见我的眼泪了吧！你把人已经造得够可怜了，难道还一定得再给他一些兄弟，让他们来把他仅有的一点点东西，仅有的一点点对于你这博爱者的信任，也统统夺走么？要知道对于能治百病的仙草的信任，对于葡萄的眼泪①的信任，也就是对于你的信任，相信你能赋予我们周围的一切以治疗疾病和减轻痛苦的力量，而我无时无刻不需要这种力量。我所没有见过面的父亲呵，曾几何时，你使我的心灵那么充实，如今却又转过脸去不再理我！父亲呵，把我召唤到你身边去吧，别再沉默无语；你的沉默使我这颗焦渴的心再也受不了啦！难道一个人，一个父亲，在自己的儿子突然归来，搂住他的脖子喊叫"我回来了，父亲"的时候，他还能生气么？别生气，如果我中断了人生旅程，没有如你所希望的那样苦挨下去。举世无处不一个样：劳劳碌碌，辛辛苦苦，而后才是报酬和欢乐；可这于我有何意义？我只有在你所在之处才会得到安适，我愿意到你的面前来

————————

① 指酒。

吃苦和享乐。——而你，仁慈的天父。难道会拒我于门外么？

十二月一日

威廉！我上次信中讲的那个人，那个幸福的不幸者，过去就是绿蒂的父亲的秘书。他对她起了恋慕之心，先是暗暗滋长着，隐藏着，后来终于表露出来，因此丢掉了差事，结果发了疯。这段话尽管是干巴巴的，但请你体会一下，这个故事是如何震动了我。我之所以写成像您读到的这个样子，因为阿尔伯特就是这样无动于衷地讲给我听的。

十二月四日

我求求你……你听我说吧，我这个人完了，再也忍受不住了！今天我坐在她的房里……我坐着，她弹着琴，弹了各式各样的曲子，可支支曲子全都触动了我的心事！全都！全都！……你看怎么办？……她的小妹妹在我怀里打扮布娃娃。热泪涌进我的眼眶。我低下头，目光落在她的结婚戒指上……我的泪水滚落下来……这当儿，她突然弹起那支熟悉而美妙的曲调，我的灵魂顿时感到极大的安慰，往事立刻一件件浮上心头，我回忆起了初次听见这支曲调的美好日子，想到了后来的暗淡时日，想起了最终的不快和失望，以及……我在房里来回急走。心儿紧迫得几至于窒息。

"看在上帝分上，"我嚷道，情绪激动地冲她跑去，"看在上帝分上，别弹啦！"

她停下来，怔怔地望着我！

"维特，"她笑吟吟地说，这笑一直刺进了我心里，"维特，你病得很厉害啊，连自己最喜爱的东西也讨厌起来了。回去吧，我求你安静安静!"

我一下从她身边跑开,并且……上帝呵,你看见了我的痛苦,请你快快结束它吧。

十二月六日

她的形像四处追逐着我!不论我醒着还是做梦,都充满我整个的心灵!现在,当我闭上眼睛,在这儿,在聚集着我的内视力的额头中,便显现出她那双黑色的眼眸来。就在这儿啊!我无法向你表达清楚。每当我一合上眼,它们就出现在这里,在我面前,在我心中,静静地如一片海洋,一道深谷,填满了我额头里的所有感官。

人,这个受到赞美的半神,他究竟算什么!他不是在正好需要力量的当儿,却缺少力量么?当他在欢乐中向上飞升,或在痛苦中向下沉沦时,他都渴望自己能融进无穷的宇宙中去,可偏偏在这一刹那,他不是又会受到羁縻,重新恢复迟钝的、冰冷的意识么?

编者致读者

从我们的朋友值得注意的最后几天中，我本来非常希望有足够多的第一手资料留下来，这样，我就没必要在他遗留下来的书信中间，再插进自己的叙述了。

我竭尽全力从了解他经历的人们口中搜集确切的事实；他的故事很简单，人们讲的全都大同小异，不一样的只是对当事者们思想性格的说法和评议。

剩下来由我们做的，只是把经过反复努力才打听到的情况认真叙述出来，把死者留下的几封信插入其中，对找到的哪怕一张小纸片也不轻易放过；要知道事情是出在一些异乎寻常的人们中间，所以即使某个单独的行为的真正动机，要想揭示出来也极不容易。

愤懑与忧郁在维特心中越来越深地扎下了根，两者紧紧缠绕在一起，久而久之就控制了他的整个存在。他精神的和谐完全被摧毁了，内心烦躁得如烈火焚烧，把他各种天赋的力量统统搅乱，最后落得个心力交瘁。为了摆脱这苦境，他拼命挣扎，作出了比过去和种种灾祸作斗争时更大的努力。内心的忧惧消耗了余下的精神力量，他不再生气勃勃，聪敏机灵，越不幸又变得越发任性起来。至少阿尔伯特的朋友们是这样讲的；他们认为，维特像个一天就要把全部财产花光、晚上只好吃苦挨饿的人，他对终于获得渴望已久的幸福的那个真诚稳重的丈夫，以及他力图在将来仍保持这个幸福的行为，都不能作出正确评价。他们说，阿尔伯特在这么短的一段时间里没有变，他仍然是维特一开始所认识、器重和尊敬的那样一个人。他爱绿蒂超过一切，他为她感到骄傲，希望别人承认她是最最可爱的女性。他不希望自己和她之间出现任何猜疑的阴影，他不乐意和任何人哪怕以最无邪的方式，仅仅在一瞬间共同占有这个宝贝，难道因此就能责怪他不成？他们承认，当有维特在他妻子房中的时候，阿尔伯特常常就走开了；但他这样做不是出于对朋友的敌视和反感，而只是因为他感觉到，他在跟前维特总是显得局促不安。

绿蒂的父亲染了病，只能躺在家里；他给她派来一辆马车，她便坐着出城去了。那是个美丽的冬日，刚下过一场大雪，田野全给盖上了白被。

维特次日一早就跟了去，以便在阿尔伯特不去接绿蒂的情况下，自己陪她回来。

晴朗的天气也很少改变他阴郁的情绪，他的心总感觉压抑难受，老有些可悲的景象萦绕在眼前，脑子里不断涌现出一个接一个的痛苦念头。

正如他始终对自己不满一样，别人的情况在他看来也就更加可虑，更加暧昧了。他确信，阿尔伯特夫妇之间的和谐关系已遭破坏，为此他不但自责，还暗暗地埋怨身为丈夫的阿尔伯特。

途中，他的思绪又回到了这个问题上。

"是啊，是啊，"他自言自语说，暗暗还在咬牙切齿，"这就叫亲切的、和蔼的、温柔的、富于同情心的态度！这就叫默默无言的、持久不变的忠诚！不，这是厌倦与冷漠！不是任何一件无聊的琐事，都比他忠实可爱的妻子更吸引他么？他知道珍惜自己的幸福吗？他知道给予她应得的尊重吗？可是，她好歹已是他的人，她好歹……我知道这个，我还知道别的事情；我已经惯于这样想，他将使我发疯，他还要结果了我。——他对我的友谊经得起考验吗？他不是已将我对绿蒂的眷恋视为对自己权利的侵犯么？将我对绿蒂的关心，视为对他的无声谴责么？我清楚地知道，我感觉得出来，他不乐意看见我，他希望我走，我在这儿已成了他的累赘。"

维特一次次放慢脚步，一次次停下来，站着发呆，看样子已打算往回走了。然而，他终究还是继续往前走去，边走边思索，边走边唠叨，最后像是很不情愿地走到了猎庄门前。

他跨进大门，打听老人和绿蒂在哪里，发现屋子里的人都有些激动。最大的一个男孩告诉他，瓦尔海姆那边出了事，一个农民给人打死了！——这个新闻没有给维特留下多少印象。他走进里屋，发现绿蒂正在极力劝自己的父亲，叫老人不要拖着有病的身子去现场调查那件惨案。凶手是谁尚不得而知。有人早上在门口发现了受害者的尸体，估计就是那位寡妇后来的长工；她先前雇的那个是在心怀不满的情况下离开的。

维特一听马上跳了起来。

"完全可能！"他叫道，"我得去看看，一秒钟也不能等。"

他匆匆忙忙向瓦尔海姆奔去，途中，一桩桩往事又历历在目。他一刻也不怀疑，肇事者就是那个多次与他交谈、后来简直成了他知己的年轻人。

要走到停放尸体的那家小酒馆去，他必须从那几株菩提树下经过。一见这个曾经极为可爱的所在如今已面目全非，他心中不由一震。邻家的孩子们常常坐在上面游戏的那道门槛，眼下是一片血污。爱情与忠诚这些人类最美好的情操，已经蜕变成了暴力和仇杀。高大的菩提树没有叶，覆着霜；以前在公墓的矮墙上形成一片穹顶的美丽树篱如今光秃秃的，盖着雪的墓碑便从空隙中突露出来。

正当他走到全村人都聚在跟前的小酒店的时候，突然腾起一阵喧闹。人们看见远远走来一队武装汉子，便异口同声喊着："抓到啦！抓到啦！"——维特也朝那边望去，顿时便看得一清二楚：是他！是这个爱那位寡妇爱得发狂的青年长工。前不久，他带着一肚子气恼，垂头丧气地四处徘徊，维特还碰见过他。

"瞧你干的好事，不幸的人呵！"维特嚷叫着，向被捕者奔去。

这人呆呆地瞪着他，先不言语，临了儿却泰然自若地答道："谁也别想娶她，她也别打算嫁给任何人。"

犯人被押进了酒店，维特仓皇离去。

这个可怕的、残酷的经历，猛地震动了他，使他的心完全乱了。霎时间，他像让人从自己悲哀、抑郁和冷漠的沉思中拖了出来，突然为一种不可抗拒的同情心所控制，因而产生了无论如何要挽救那个人的强烈欲望。他觉得他太不幸了，相信他即使成为罪人也仍然是无辜的。他把自己完全摆在他的地位上，确信能说服其他人同样相信他的无辜。他恨不能立刻为他辩护；他的脑子里已经装满有力的证词；他急匆匆向猎庄赶去，半道上就忍不住把准备向总管陈述的话低声讲了出来。

他一踏进房间，发现阿尔伯特也在场，情绪顿时就低落下来；但是他仍然打起精神，把自己的看法向总管讲了一遍，讲的时候情绪十分激昂。可总管却连连摇头；虽然维特把一个人替另一个人辩护所可能讲的全讲了，而且讲得如此情词恳切，娓娓动听，但结果显而易见，总管仍然无动于衷。他甚至不容我们的朋友把话讲完，就给以激烈的驳斥，责怪他不该袒护一个杀人犯！总管教训他说，依了他一切法律都得取消，国家的安全就得彻底完蛋。最后，总管还补充：在这样的事情上，自己除去负起最崇高的职责，一切按部就班、照章行事以外，便什么都不能干。

维特还是不甘心，不过只是再恳求老人说，希望他在有人出来帮助罪犯逃跑的情况下，能够睁一只眼闭一只眼！这个请求也遭到总管拒绝。这当儿，阿尔伯特终于插话了，他也站在老头子一边，叫维特再也开不得口。维特怀着难以忍受的痛苦走出房去；在此之前，总管一再告诉他："不，他没有救了！"

这句话给了他多么沉重的打击，我们可以从一张显然是他当天写的字条看出来。我们在他的文书中找到了这张字条，上面写道：

"你没有救了，不幸的朋友！我明白，咱们都没有救了！"

至于阿尔伯特最后当着总管讲的关于罪犯的一席话，维特听了更是反感之极，甚至还以为发现了有几处影射自己的地方。因此，尽管他以自己的聪明，经过反复考虑，不至于看不出这两位的话可能有道理，他却不愿意承认这一点，似乎对他来说，一承认就意味着背弃自己的本性。

从他的文书中，我们还发现另一张字条，与这个问题有着关系，也许它能把维特对阿尔伯特的态度充分泄露给我们吧：

"有什么用呢，尽管我反反复复地告诉自己，对自己讲：他是个好人，正派人！可是，我心乱如麻，叫我怎么公正得了呵。"

在一个温暖的傍晚，雪已经开始消融，绿蒂随阿尔伯特步行回城去。途中，她东瞅瞅，西望望，像是少了维特的陪伴，心神不定似的。阿尔伯特开始谈他，在指责他的同时，仍不忘替他讲几句公道话。他谈到他那不幸的热情，希望能够想办法让他离开。

"为了我们自己，我也希望这样，"他说，"另外，我请求

你，"他接着讲，"想法使他对你的态度改变一下，别让他这么老
来看你。人家会注意的。再说据我了解，这儿那儿已有人在讲闲
话啦。"

绿蒂默不作声；阿尔伯特似乎品出了她这沉默的味道，至少
从此再没对她提到过维特，甚至当她自己再提到维特时，他也立
刻中止谈话，要不就把话题引到一边去。

维特为救那个不幸者所作的无望的努力，是一股行将熄灭的
火苗儿的最后一次闪动；自此，他便更深地沉浸在痛苦与无为
中。特别是当他听说，法庭也许会传他去当证人，证明那个如今
矢口否认自己罪行的青年确实有罪的时候，他更是气得快要
疯了。

他在实际生活中遭遇的种种不快，在公使馆里的难堪，以及
一切的失败，一切的屈辱，这时都统统在他心里上上下下翻腾开
来。这一切的一切，都使他觉得自己的无所作为就是活该。他发
现自己毫无出路，连赖以平平庸庸地生活下去的本领也没有。结
果，他便一任自己古怪的感情、思想以及无休止的渴慕驱使，一
个劲儿和那位温柔可爱的女子相周旋，毫无目的、毫无希望地耗
费着自己的精力，既破坏了人家的安宁，又苦了自己，一天一天
向着可悲的结局靠近。

下边我编进他遗留下来的几封信。他的迷惘，他的热情，他
的无休止的向往与追求，以及他对人生的厌倦，统统将从这几封
信得到有力的证明。

十二月十二日

亲爱的威廉，目前我处于一种坐卧不安的状态，就像人们说
的那些被恶鬼驱赶着四处游荡的不幸者一样。有时，我心神不
定；这既非恐惧，也非渴望，而一种内心的莫名的狂躁，几乎像

要撕裂我的胸脯，扼紧我的喉咙！难过哟，难过哟！于是，我只好奔出门来，在这严冬季节的可怕的夜里瞎跑一气。

昨天晚上，我又不得不出去。其时适逢突然到来的融雪天气，我听见河水在泛滥，一道道小溪在激涨，雪水从瓦尔海姆方向流来，窜进了我那可爱的峡谷里。夜里十一时我跑出家门。只见狂暴的山洪卷起旋涡，从悬崖顶上直冲下来，漫过田畴、草场、园篱和野地里的一切，把开阔的谷地变成了一片翻腾的海洋，狂风同时发出呼啸，那景象怕人极了！尤其是当月亮重新露出脸来，静静地枕在乌云上，我面前的激流在它可怖而迷人的清辉映照下，翻滚着，咆哮着，我更是不寒而栗，心中冷不防产生一个欲望！我面对深渊，张开双臂，心里想着：跳下去吧！跳下去吧！要是我能带着自己的不幸和痛苦，像奔腾的山洪似的冲下悬崖峭壁，这将是何等痛快哟！唉，我却抬不起腿来，没有把所有的苦难一举结束的勇气！——我的时辰还没有到，我觉着。威廉啊，我真恨不得跟狂风一块儿去驱散乌云，去遏止激流，哪怕为此得付出我的生命！唉，也许连这样的欢乐也不容一个遭受囚禁的人得到吧？

俯瞰着那株我俩曾在下边坐过的老柳树，我心里非常难过——草坪也被水淹了，老柳树也几乎认不了来了，威廉！"还有她家的那些草地，还有她家周围的整个地区！"我想，"我们的小亭子这会儿准让激流毁得面目全非了吧！"想到此，一线往昔的阳光射进了我的心田，宛如一个囚人梦见了羊群，梦见了草地，梦见了荣耀的升迁一般！——我挺立着，不再骂自己没有死的勇气。我本该……

唉，我现在又坐在这儿，恰似个从篱笆上拾取烂柴和沿门告化的穷老婆子，苟延残喘，得过且过，毫无乐趣。

十二月十四日

怎么回事，好朋友？我竟自己害怕起自己来了！难道我对她的爱，不是最神圣、最纯洁、最真挚的爱么？难道什么时候我心中怀有过该受惩罚的欲念么？——我不想起誓……可现在这些梦！呵，那班相信鬼神能跟我们捣乱的人，他们是太正确了！这一夜——讲起来我的嘴唇还在哆嗦——这一夜我把她搂在怀里，紧紧贴在自己心口，用千百次的亲吻堵住她那说着绵绵情话的嘴；我的目光完全沉溺在她那醉意蒙眬的媚眼中！主啊，我在回忆这令人销魂的梦境时，心中仍感到幸福，这难道也该受罚么？绿蒂呵，绿蒂呵！——我已经完了！我神志昏乱，八天来一直糊里糊涂，眼睛里满是泪水。我到哪儿都不自在，又到哪儿都感到自在。我无所希望，无所欲求。看起来，我真该走了。

这期间，在上述的情况下，辞世的决心在维特的脑子里越来越坚定。自从回到绿蒂身边，他就一直把这看作最后的出路和希望；不过他对自己讲，不应操之过急，不应草率行事，必须怀着美好的信念，怀着尽可能宁静的决心，去走这一步。

下面这张在他的文稿中发现的纸条，看来是一封准备写给威廉的信，刚开了头，还不曾落日期。从这则残简中，可以窥见他的动摇和矛盾心情：

她的存在，她的命运以及她对我的命运的关切，从我业已干枯的眼里挤压出了最后的几滴泪水。

揭开帷幕，走到幕后去吧！一了百了，干吗还迟疑畏缩啊！因为不知道幕后是个什么情形么？因为这一去便回不来了么？也许还因为我们的灵智能预感到，那后边只有我们一无所知的黑暗和混沌吧。

维特终于和这个阴郁的念头一天天亲密起来，决心便更坚定、更不可改变了。下面这封他写给自己友人的意义双关的信，提供了一个证明。

十二月二十日

我感谢你的友情，威廉，感谢你对那句话作了这样的理解。是的，你说得对：我真该走了。只是你让我回到你们那儿来的建议，不完全合我的心意；无论如何我还想兜个圈子，尤其是天气还有希望冷一段时间，眼看路又会变得好走起来。你来接我我当然很感激；只是请你再推迟两个礼拜，等接到我的下一封信再说吧。千万别果子没熟就摘呵。而两个礼拜左右可以干很多事情。请告诉我母亲，希望她替自己的儿子祈祷；为了我带给她的所有不快，我求她原谅。我命中注定了，要使那些我本该使他们快乐的人难过。别了，我的好朋友！愿老天多多降福于你！别了！

这段时期绿蒂的心绪如何，她对自己丈夫的感情怎样，对她不幸的朋友的感情怎样，我们都不便下断语；尽管凭着对她个性的了解，我们很可以在私下作出评判，尤其是一颗美丽的女性的心，更可以设身处地，体会出她的感情。

肯定的只是，她已下了决心，要想一切办法打发维特离开。如果说她还有所迟疑的话，那也是出于对朋友的一片好意和爱护；她了解，这将使维特多么难受，是的，在他几乎就不可能。然而在此期间，情况更加逼迫她认真采取行动；她的丈夫压根儿不肯再提这事，就像她也一直保持着沉默一样，而唯其如此，她便更有必要通过行动向他证明，她并未辜负他的感情。

上面引的那封维特致友人的信，写于圣诞节前的礼拜日。当晚，他去找绿蒂，碰巧只有她一个人在房中。绿蒂正忙着整理准

备在圣诞节分送给小弟妹们的玩具。维特说小家伙们在收到礼物以后一定会高兴得什么似的，并回忆了自己突然站在房门口，看见一棵挂满蜡烛、糖果和苹果的漂亮圣诞树时的惊喜心情。

"你也会得到礼物的，"绿蒂说，同时嫣然一笑，借以掩饰自己的困窘，"你也会得到礼物，条件是你要很听话；比如得到一支圣诞树上的蜡烛什么的。"

"你说的听话是什么意思？"维特嚷起来，"你要我怎么样？我能够怎么样？亲爱的绿蒂！"

"礼拜四晚上是圣诞夜，"她说，"到时候我的弟弟妹妹，我的父亲都要来这里，每人都会得到自己的礼品。你也来吧，可是在这之前别再来了。"

维特听了一怔。

"我求你，"她又说，"事已至此，我求你为了我的安宁，答应我吧：不能，再不能这样下去了啊。"

维特转过脸去不看她，自顾自地在房里来回疾走，透过牙齿缝喃喃道："再不能这样下去了！再不能这样下去了！"

绿蒂感到自己的话把他推进了一个可怕的境界，便提出各式各样的问题来企图引开他的思路，但是不成功。

"不，绿蒂，"他嚷道，"我将再也不来见你了！"

"干吗呢？"她问，"维特，你可以来看我们，你必须来看我们，只是减少一些就行了。唉，你干吗非得生成这么个急性子，一喜欢什么就死心眼儿地迷下去！我求你，"她拉住维特的手继续说，"克制克制自己吧！你的天资，你的学识，你的才能，它们不是可以带给你各种各样的快乐么？拿出男子汉的气概来！别再苦苦恋着一个除去同情你就什么也不能帮你的女孩子。"

维特把牙齿咬得咯吱咯吱响，目光阴郁地瞪着她。绿蒂握着他的手，说："快冷静冷静吧，维特！你难道感觉不出，你是在自己欺骗自己，存心把自己毁掉么！干吗定要爱我呢，维特？我可已是另有所属啊！干吗偏偏这样？我担心，我害怕，仅仅是因为不可能实现，才使这个占有我的欲望对你如此有诱惑力的。"

维特把自己的手从她手里抽回来，目光定定地、愤怒地瞪着她。

"高明！"他喝道，"太高明了！没准儿是阿尔伯特这么讲的吧？外交家！了不起的外交家！"

"谁都可能这样讲，"绿蒂回答，"难道世间就没有一个姑娘合你心意了么？打起精神去找吧，我发誓，你一定能找到的；要知道，一些时候以来你自寻烦恼，已经早叫我为你和我们担心了啊。打起精神来，去旅行一下，这将会、一定会使你心胸开阔起来。去找吧，找一个值得你爱的人，然后再回来和我们团聚，共享真正的友谊的幸福。"

"你这一套可以印成教科书，推荐给所有的家庭教师哩，"维特冷笑一声说，"亲爱的绿蒂！你让我稍稍安静一下，然后一切都会好了。"

"只是，维特，圣诞节前你千万别来啊！"

他正要回答，阿尔伯特进屋来了。两人只冷冷地道了一声"晚上好"，便并排在房间里踱起步来，气氛十分尴尬。维特开始讲了几句无足轻重的话，但很快又没词儿了。阿尔伯特也一样。随后，他问自己的妻子，是否已经把这样那样交给她办的事办妥；一听绿蒂回答还不曾办妥，便冲她讲了几句在维特听来不止冷淡，简直称得上是粗暴的话。维特想走又不能走，迟迟挨挨地一直到了八点钟，心里越来越烦躁，越来越不快。人家已开始摆晚饭，他才拿起自己的帽子和手杖。阿尔伯特邀他留下，他只看作是客套敷衍，冷冷道过一声谢，便离开了。

他回到家中，从为他照路的年轻用人手里接过蜡烛，走到了卧室里，一进门便放声大哭，过不多会儿又激动地自言自语，绕室狂奔，临了和衣倒在床上，直到深夜十一点，用人蹑手蹑脚地摸进来问少爷要不要脱靴子，才惊动了他。他让用人替他把靴子脱了，告诉用人明天早上不叫不要进房里来。

礼拜一一大早，他给绿蒂写了一封信。他死后，人们在他的书桌上发现了这封信，已经用火漆封好，便送给了绿蒂。从行文本身看出，信是断断续续写成的。我也就依其本来面目，分段摘引于后。

已经决定了，绿蒂，我要去死。我在给你写这句话时，并没有怀着浪漫的激情，相反，倒是心平气和，在将要最后一次见到你的今天的早上。当你捧读此信的时候，亲爱的，冰冷的黄土已经盖住了我这个不安和不幸的人的僵硬的躯体。他在自己生命的最后一刻所感到的快慰，就是能和你再谈一谈心。我熬过了一个多可怕的夜晚啊；可是，唉，这也是一个仁慈的夜晚！是它坚定了我的决心，使我最后决定去死！昨天，我忍痛离开你时，真是五内俱焚；往事一一涌上心头，一个冷酷的事实猛地摆在我面前：我生活在你身边是既无希望，也无欢乐啊……

我一回到自己房里，就疯了似的跪在地上！上帝呵，求你赐给我最后几滴苦涩的泪水，让我用它们来滋润一下自己的心田吧！在我脑海中翻腾着千百种计划，千百种前景，但最后剩下的只有一个念头，一个十分坚决、十分肯定的念头，这就是：我要去死！我躺下睡了，今儿一早醒来心情平静，可它却仍然在那里，这个存在于我心中十分强烈的念头：我要去死！——这并非绝望；这是信念，我确信自己苦已受够，是该为你而牺牲自己的时候了。是的，绿蒂，我为什么应该保持缄默呢？我们三人中的确有一个必须离开，而我，就自愿做这一个人！呵，亲爱的，在我这破碎的心灵里，确曾隐隐约约出现过一个狂暴的想法——杀死你的丈夫！——杀死你！——杀死我自己！

眼下的事就这么定了！可是将来，当你在一个美丽夏日的黄昏登上山岗，你可别忘了我啊，别忘了我也常常喜欢上这儿来；然后，你要眺望那边公墓里的我的坟茔，看我坟头的茂草如何在落日的余晖中让风吹得摇曳不定……

我开始写此信时心情是平静的；可眼下，眼下一切都生动实在地出现在我面前，我又忍不住哭了，像个孩子似的哭了。

将近十点钟，维特叫来他的用人，一边穿外套一边对他讲，过几天他要出门去，让用人把他的衣服刷干净，打点好全部行装。此外，又命令用人去各处结清账目，收回几册借给人家的书，把他本来按月施舍给一些穷人的钱提前一次给两个月。

他吩咐把早饭送到他房里去。吃完饭，他骑着马去总管家；总管不在，他便一边沉思，一边在花园中踱来踱去，像是在对以往的种种伤心事作最后一次的重温。

可是，小家伙们却不让他长久地安静，他们追踪他，跳到他背上，告诉他：明天，明天的明天，喏，就是再过一天，他们就可以从绿蒂手里领到圣诞礼物了！他们向他描述自己的小脑瓜儿所能想象出来的种种奇迹。

"明天！"维特喊出来，"明天的明天！再过一天！"——随后，他挨个儿吻了孩子们，打算要走。这当儿，最小的一个男孩却要给他说悄悄话。他向维特透露，哥哥们都写了许多张美丽的贺年片，挺大挺大的，一张给爸爸，一张给阿尔伯特和绿蒂，也有一张给维特先生；只不过要到新年早上才给他们。维特深为感动，给了每个孩子一点什么，然后才上马，让孩子们代他问候他们的父亲，说完便含着热泪驰去。

将近五点，他回到住所，吩咐女仆去给卧室中的壁炉添足柴，以便火能一直维持到深夜。他还让用人把书籍和内衣装进箱子，把外衣缝进护套。做完这些，他显然又写给了绿蒂的最后一封信的下面这个片断：

你想不到我会来吧！你以为我会听你的话，直到圣诞节晚上才来看你，是不是！呵，绿蒂！今日不见就永远不见了。到圣诞节晚上你手里捧着这封信，你的手将会颤抖，你莹洁的泪水将把信纸打湿。我愿意，我必须！我多快意呵，我决心已定！

绿蒂这段时间的心境也很特别，最后那次和维特谈话以后她就感到，要她和他分手会多么困难，而维特如果被迫离开了她，又会何等痛苦。

她像无意似的当着阿尔伯特讲了一句："维特圣诞夜之前不会来了。"阿尔伯特于是便骑马去找住在邻近的一位官员，和他了结一些公事，不得不就在他家中过夜。

绿蒂独坐房中，身边一个弟妹也没有，便不禁集中心思考虑起自己眼前的处境来。她看出自己已终身和丈夫结合在一起；丈夫对她的爱和忠诚她是了解的，因此也打心眼里倾慕他；他的稳重可靠仿佛天生来作为一种基础，好让一位贤淑的女子在上面建立起幸福的生活似的；她感到，他对她和她的弟妹真是永远不可缺少的靠山啊。可另一方面，维特之于她又如此可贵，从相识的第一瞬间起，他俩就意气相投；后来，长时间的交往以及种种共同的经历，都在她心中留下了不可磨灭的印像，她不管感到或想到什么有趣儿的事，都已习惯于把自己的快乐和他一块儿分享；他这一走，必然给她的整个一生造成永远无法弥补的空虚。呵，要是她能马上把他变成自己的哥哥就好了！这样她会多么幸福啊！——她真希望能把自己的一个女友许配给他，真希望能恢复他和阿尔伯特的友好关系！她把自己的女友挨个儿想了一遍，发现她们身上都有这样那样的缺点，觉得没有一个配得上维特的。

这么考虑来考虑去，她才深深感觉到自己衷心地暗中希望着一件事，虽然她不肯向自己明白承认，这就是把维特留给她自己。与此同时，她又对自己讲，这是不可能的，不允许的。此刻，她纯洁美丽，素来总是那么轻松、那么无忧无虑的心，也变得忧伤而沉重起来，失去了对于未来幸福的希望。她的胸部感到压抑，眼睛也让乌云给蒙住了。

她这么一直坐到六点半；突然，她听见维特上楼来了。她一下子便听出是他的脚步声和他打听她的声音。她的心怦怦狂跳起来；可以说，她在他到来时像这个样子还是第一次，她很想让人对他讲自己不在；当他跨进房来时，她心慌意乱得冲他叫了一声："你食言了！"

"我可没许任何诺言。"维特回答。

"就算这样，你也该满足我的请求呀，"她反驳说，"我求过你让我们两人都安静安静。"

她不清楚自己说些什么，也不清楚自己做些什么，糊里糊涂地就派人去请她的几个女友来，以免自己单独和维特待在一起。他呢，放下带来的几本书，又问起另外几本书。这时，绿蒂心里一会儿盼着她的女友快来，一会儿又希望她们可千万别来。使女进房回话，有两位没有来，请她原谅。

她想叫使女留在隔壁房里做针线活，但一转念又改变了主意。维特在房中踱着方步，她便坐到钢琴前，弹奏法国舞曲，但怎么也弹不流畅。维特已在他坐惯了的老式沙发上坐下；她定了定神，也不慌不忙地坐在他对面。

"你没有什么书好念念吗？"她问。

他没有。

"那边，在我的抽屉里，放着你译的几首莪相的诗，"她又说，"我还没有念它们，一直希望听你自己来念，谁知又老找不到机会。"

维特微微一笑，走过去取那几首诗；可当把它们拿在手中，他身上便不觉打了个寒战，低头看着稿纸，眼里已噙满泪花。他坐下，念道：

朦胧夜空中的孤星呵，你在西天发出美丽的闪光，从云朵深处昂起你明亮的头，庄严地步向你的丘岗。你在这荒原上寻觅什么呢？那狂暴的风已经安静，从远方传来了溪流的絮语，喧闹的惊涛拍击岩岸，夜蛾儿成群飞过旷野，嗡嗡嘤嘤。你在这荒原上寻觅什么哟，美丽的星？瞧你微笑着冉冉行进，欢乐的浪涛簇拥着你，洗濯你的秀发。别了，安静的星。望你永照人间，你这裁相心灵中的光华！

在它的照耀下，我看见了逝去的友人，他们在罗拉平原聚会，像在过去的日子里一样。——芬戈来了，像一根潮湿的雾柱；瞧啊，在他周围他的勇士，那些古代的歌人：白发苍苍的乌林！身躯伟岸的利诺！歌喉迷人的阿尔品！还有你，自怨自艾的弥诺娜！——我的朋友呵，想当年，在塞尔玛山上，我们竞相歌唱，歌声如春风阵阵飘过山丘，窃窃私语的小草久久把头儿低昂；自那时以来，你们可真变了样！

这当儿，娇艳的弥诺娜低着头走出来，泪眼汪汪；从山岗那边不断刮来的风，吹得她浓密的头发轻飏。她放开了甜美的歌喉，勇士们的心里更加忧伤；要知道他们已一次次张望过萨格尔的坟头，一次次张望过白衣女可尔玛幽暗的住房。可尔玛形影孤单，柔声儿在山岗上唱着歌：萨格尔答应来却没来，四周已是夜色迷茫。听啊，这就是可尔玛独坐在山岗上唱的歌：

可尔玛

夜已来临！——我坐在狂风呼啸的岗头，独自一人。山中风声凄厉。山洪咆哮着跃下岩顶。可怜我被这遗弃在风雨中的女子，没有茅舍供我避雨栖身。

月儿呵，从云端里走出来吧！星星呵，在夜空中闪耀吧！请照亮我的道路，领我去我的爱人打猎后休息的地方，他身旁摆着松了弦的弓弩，他周围躺着气喘吁吁的狗群。可我只得独坐杂树丛生的河畔，激流和风暴喧嚣不已，我却听不见爱人一丝儿声音。

我的萨格尔为何迟疑不归？莫非他已把自己的诺言忘记？这儿就是那岩石，那树，那湍急的河流！唉，你答应天一黑就来到这里！我的萨格尔呵，你可是迷失了归途？我愿随您一起逃走，离开高傲的父亲和兄弟！我们两个家族世代为仇，萨格尔呵，我俩却不是仇敌！

风啊，你静一静吧！激流啊，你也请别出声息！让我的声音越过山谷，传到我那漂泊者的耳际。萨格尔！是我在唤你哟，萨格尔！这儿是那树，这儿是那岩石，萨格尔，我的亲爱的！我在这儿等了又等，你为何迟迟不来？

瞧，月亮发出银辉，溪流在峡谷中闪亮，丘岗上灰色的岩石突兀立起；可丘顶却不见他的身影，也没有狗群报告他的来归。我只得孤零零地坐在此地。

可躺在那下边荒野上的是谁啊，是我的爱人？是我的兄弟？——你们说话呀，我的朋友！呵，他们不回答，徒令我心增忧戚！——啊，他们死了！他们的剑上犹有斑斑血迹！我的兄弟呵，我的兄弟，你为何杀死了我的萨格尔？我的萨格尔呵，你为何杀死了我的兄弟？你们两个都是我的亲人哟！在丘岗旁安息着的万千战死者中，数你最最英俊！可是他在战斗里却可怕无敌。回答我，亲爱的人，你们可已听见我的呼唤！唉，他们永远沉默无言，胸膛已冰凉如泥！

亡灵们呵，你们从丘顶的巨岩石上讲话吧！从暴风雨中的山巅讲话吧！我绝不会毛骨悚然！告诉我，你们将去哪儿安息？我要到群山中的哪道岩穴里才能找到你们啊！——狂风中，我听不见一些儿回音；暴风雨里，我听不见微弱的叹息。

我坐在岗头大放悲声；我等待着黎明，泪雨淅沥。死者的友人们呵，你们掘好了坟墓，但在我到来之前，千万别把墓室关闭。我怎能留下呢，我的生命已消逝如梦？我愿和我的亲人同住在这岩石鸣响的溪畔；每当夜色爬上山岗，狂飙掠过旷野，我的灵魂都要立在风中，为我亲人的死哀泣。猎人在他的小屋中听见我的泣诉，既恐惧又欢喜；要知道我是在悼念自己亲爱的人，声音又怎能不甜蜜！

这就是你的歌啊，弥诺娜，托尔曼的红颜的闺女。我们的泪为可尔玛而流，我们的心为她忧戚。

乌林怀抱竖琴登场，为我们伴奏阿尔品的歌唱。——阿尔品嗓音悦耳，利诺有火一般的心肠。可眼下他们都已安息在陋室中，他们的歌声已在塞尔玛绝响。有一次乌林猎罢归来，还在英雄们未曾战死的时光。他听见他们在山上比赛唱歌，歌声悠扬，但却忧伤。他们悲叹领袖群伦的英雄穆拉尔的殒落，说他的宝剑厉害如奥斯卡，他的灵魂高尚如芬戈。——但他仍然倒下了，他的父亲悲痛失声，他的姐姐泪流成河，英俊的穆拉尔的姐姐弥诺娜泪流成河。她在乌林唱歌以前便下去了，恰似西天的月亮预见到暴风雨来临，将美丽的脸儿向云里躲藏。我和乌林一同拨响琴弦，伴着利诺悲哀地歌唱。

利 诺

风雨已过，雾散云开，天气晴朗，匆匆去来的太阳又照着山岗。溪流红光闪闪，穿过峡谷，淙淙潺潺，笑语欢畅。可我聆听着一个更动人的声音，那是阿尔品的声音，他在痛苦地把死者歌唱。他哀老的头颅低垂，他带泪的眼睛红肿。阿尔品，杰出的歌手，你为何独自来到这无声的山上？为你何悲声不断，像穿越山林的风，像拍击洋岸的浪？

阿尔品

利诺呵，我的泪为死者而流，我的歌为墓中人而唱。在荒野的儿子们中间，在岗头，你是何等英俊魁梧。但你也像穆拉尔一样战死，你的坟上也会有痛哭悲伤。这些山岗将把你忘记，你的弓弩将存放在大厅，从此不把弦张。

穆拉尔呵，在这山岗上你曾飞奔如快鹿，狂暴如野火。你的愤怒如可怕的飓风，你的宝剑如荒野的闪电，你的声音如雨后的山洪，如远方山岗上的雷动！多少人曾被你愤怒的烈火吞噬，多少人曾死在你手中，可当你从战斗里归来，额头上又洋溢着宁静！你的容颜如雨后的丽日，如静夜的月亮：你的胸膛呼吸均匀，如风住浪息的海洋！

如今，你的居室狭隘、黑暗，你的墓穴长不过三步：而你当初却是多么伟大呵！四块顶上长满青苔的石板砌成你唯一的纪念碑，还有无叶的树一株。一茎长草在风中低语，告诉猎人，这儿就是伟大的穆拉尔的归宿！没有母亲来为你哭泣，没有情人来为你一洒清泪。生育你的莫格兰的女儿，她已经先你亡故。

那扶杖走来的是谁呢，他的头发已经老得雪白，他的双眼已经哭得红肿？呵，那是你的父亲，穆拉尔，你是他唯一的儿子！他曾听见你在战斗中高声呐喊，他曾听见你打得敌人四处逃窜；他只听见你如雷的声名，唉，全不知你身负重伤！痛哭吧，穆拉尔的父亲！痛哭吧，尽管你儿子已听不见你的声音！死者酣睡沉沉，头枕尘埃，充耳不闻你的呼唤，永远不会复生。呵，墓穴中何时才会有黎明，才会召唤酣睡者：醒一醒！

别了，人中的最高贵者，沙场无敌的勇士！从此战斗中再见不到你的英姿，幽林间再不会闪过你雪亮的兵刃！你没有子嗣继承伟业，但歌声将使你不朽，后世将听到你，听到战死沙场的穆拉尔的英名。

　　英雄们个个放声啼哭，阿明更是撕心裂肺地号啕。他悼念他的亡儿，痛惜他青春年华即已早夭。辽阔的格马尔的君王卡莫尔坐在老英雄身边，问："阿明呵，你为何在痛哭流涕？是什么叫你大放悲声？且听这声声弦歌，真个叫悦耳迷人！它好似湖上升起的薄雾，轻轻儿飘进幽谷，把盛开的花朵滋润；可一旦烈日重新照临，这雾啊也就散尽，你为何悲恸伤心啊，阿明，你这岛国哥尔马的至尊？

　　"悲恸伤心！可不是吗，我的悲痛真诉说不尽。卡莫尔呵，你没有失去儿子，没有失去如花的女儿；勇敢的哥尔格还健在，天下最美的姑娘安妮拉还侍奉着你。你的家族枝繁叶茂，卡莫尔；可我阿明家却断了后嗣。岛拉呵，你的床头如此昏暗，你已在发霉的墓穴中长眠。什么时候你才会唱着歌醒来呢，你的歌喉可还是那样美，那样甜？刮起来吧，秋风，刮过这黑暗的原野！怒吼吧，狂飙，在山顶的橡树林中掀起巨澜！明月呵，请你从破碎的云絮后走出来，让我看一看你苍白的脸！你们都来帮我回忆吧，回忆我失去儿女的恐怖的夜晚：那一夜，强壮的阿林达尔死了，岛拉，我亲爱的女儿，她也未得生还。

　　"岛拉，我的女儿，你曾多么美丽！你美丽如悬挂在弗拉山岗上的皓月，洁白如天空飘下来的雪花，甜蜜如芳馨的空气！阿林达尔，你的弓弩强劲，你的标枪快捷，你的眼光如浪尖上的迷雾，你的盾牌如暴雨里的彤云！

　　战争中遐尔闻名的阿玛尔来向岛拉求爱，岛拉没有能长久拒绝。朋友们已期待着那美好的时辰。

　　奥德戈的儿子埃拉德怒不可遏，他的弟弟曾死在阿玛尔剑下。他乔装成一名船夫，驾来一叶轻舟，他的鬈发已老得雪白，脸色也和悦敦厚。"最最美丽的姑娘啊，"他说，"阿明可爱的女儿！在离岸不远的海里，在鲜红的水果从树上向这儿窥视的山崖旁，阿玛尔在那里等待他的岛拉，我奉命来接他的爱人，带她越过波涛翻滚的海洋。"

岛拉跟着埃拉德上了船，口里不断呼唤阿玛尔：可她除去山崖的鸣响，就再听不见任何回答。"阿玛尔！我的爱人，我亲爱的！你干吗要这样把我恐吓？听一听啊，阿纳兹的儿子！听一听呵，是我在唤你，我是你的岛拉！"

埃拉德这个骗子，他狂笑着逃上陆地。岛拉拼命地喊啊，喊她的父亲，喊她的兄长的名字："阿林达尔！阿明！难道谁也不来救救你们的岛拉？"

她的喊声从海上传来，阿林达尔，我的儿子立刻从山岗跃下。终日行猎使他性格剽悍，他身挎箭矢，手执强弓，五只黑灰色猎犬紧紧跟随身边，他在海岸上瞧见勇敢的埃拉德，一把捉住他，把他缚在橡树上，用绳子将他的腰身缠了又缠，缚得埃拉德在海风中叫苦连天。

阿林达尔驾着自己的船破浪前进，一心要救岛拉生还。阿玛尔气急败坏地赶来，射出了他的灰翎利箭。只听嗖的一声响，阿林达尔呵，我的儿，射进了你的心田！你代替埃拉德丧了命。船一到岸边，他就倒下了。岛拉呵，你脚边淌着你兄长的鲜血，你真是悲痛难言！

这当儿巨浪击破了小船，阿玛尔奋身纵入大海，不知是为救他的岛拉，还是自寻短见。一霎时狂风大作，白浪滔天，阿玛尔沉入海底，一去不返。

只剩我一人在海浪冲击的悬崖上，听着女儿的哭诉。她呼天抢地，我身为她的父亲，却无法救她脱险。我彻夜伫立在岸边，在淡淡的月光里看见她，听着她的呼喊。风呼呼地吼，雨唰唰地抽打山岩。不等黎明到来，她的喊声已经微弱；当夜色在草丛中消散，她已经气息奄奄。她在悲痛的重压下死去了，留下了我阿明孤苦一人！我的勇力已在战争里用光，我的骄傲已被姑娘们耗完。

　　每当山头雷雨交加，北风掀起狂澜，我就坐在发出轰响的岸旁，遥望那可怕的岩石。在西沉的月影里，我常常看见我孩子们的幽魂，时隐时现，缥缥缈缈，哀伤和睦地携手同行……

　　两股热泪从绿蒂的眼中逆流出来，她心里感觉轻松了一些，维特却再也念不下去。他丢下诗稿，抓住绿蒂的一只手，失声痛哭，绿蒂的头俯在另一只手上，用手绢捂住了眼睛。他俩的情绪激动得真叫可怕，从那些高贵的人的遭遇中，他们都体会出了自身的不幸。这相同的感情和流在一起的泪水，使他俩靠得更紧了。维特灼热的嘴唇和眼睛，全靠在了绿蒂的手臂上。她猛然惊醒，心里想要站起来离开；可是，悲痛和怜悯却使她动弹不得，她的手跟脚如同铅块。她喘息着，哽咽着，请求他继续念下去；她这时的声音之动人，真只有天使可比！维特浑身哆嗦，心都要碎了。他拾起诗稿，断断续续地念道：

　　春风呵，你为何将我唤醒？你轻轻抚摩着我的身儿回答："我要滋润你以天上的甘霖！"可是啊，我的衰时近了，风暴即将袭来，吹打得我枝叶飘零！明天，有位旅人将走来，他见过我的美好青春，他的眼儿将在旷野里四处寻觅，却不见我的踪影……

　　这几句诗的魔力，一下子攫住了不幸的青年。他完全绝望了，一头扑在绿蒂脚下，抓住她的双手，把它们先按在自己的眼睛上，再按在自己的额头上。绿蒂呢，心里也一下子闪过维特会做出什么可怕的事情来的预感，神志顿时昏乱起来，抓住他的双手，把它们捺在自己的胸口上，激动而伤感地弯下身子，两人灼热的脸颊便依偎在一起了。世界对于他们已不复存在。他用胳膊搂住她的身子，把她紧紧抱在怀中，同时狂吻起她颤抖的、喏喏的嘴唇来。"维特！"她的声音窒息地喊着，极力把头扭开。"维特！"她用软弱无力的手去推开他和她紧贴在一起的胸。"维特！"她再喊，声音克制而庄重。

维特不再反抗，从怀里放开她，疯了似的跪倒在她脚下。她站起来，对他既恼又爱，身子不住哆嗦，心里更惊慌迷乱，只说："这是最后一次，维特！你别想再见到我了！"说完，向这个可怜的人投了深情的一瞥，便逃进隔壁房中，把门锁上了。维特向她伸出手去，但却没敢抓住她。随后他仰卧地上，头枕沙发，一动不动地待了半个小时，直到一些响声使他如梦初醒。是使女来摆晚饭了。他在房中来回踱着，等发现又只有他一个人，才走到通隔壁的房门前，轻声呼唤道：

"绿蒂！绿蒂！只要再说一句！一句告别的话！"绿蒂不作声。他等待着，请求着，再等待着，最后才扭转身，同时喊出：

"别了，绿蒂！永别了！"

他来到城门口。守门人已经认熟了他，一句话没问便放他出了城。野地里雨雪交加，直到夜里十一点，他才回家敲门。年轻的用人发现，主人进屋时头上的帽子已经不见了。他一声没敢吭，只侍候维特脱下已经湿透的衣服。事后，在临着深谷的悬崖上，人家捡到了他的帽子。叫人难以想象的是，他怎能在漆黑的雨夜登上高崖，竟没有失足摔下去。

他上了床，睡了很久很久。翌日清晨，用人听他一唤便送咖啡进去，发现他正在写信。他在致绿蒂的信上又添了下面一段。

最后一次了，最后一次我睁开眼睛。唉，它们就要再也见不到太阳，永远被一个暗淡无光，雾霭迷蒙的长昼给遮住了！痛悼吧，自然！你的儿子，你的朋友，你的情人，他的生命就要结束了。绿蒂呵，当一个人不得不对自己说"这是我的最后一个早晨"时，他心中便会有一种无可比拟、然而却最最接近于朦胧的梦的感觉。最后一个！绿蒂呵，我真完全不理解这个什么"最后

一个"！难道此刻，我不是还身强力壮地站在这儿？可明天就要
倒卧尘埃，了无生气了啊。死！死意味着什么？你瞧，当我们谈
到死时，我们就像在做梦。我曾目睹一些人怎样死；然而人类生
来就有很大的局限，他们对自己生命的开始与结束，从来都是不
能理解的。眼下还存在我的，你的！你的，呵，亲爱的！可再过
片刻……分开，离别……说不定就是永别了啊！……不，绿蒂，
不……我怎么能逝去呢？你怎么能逝去呢？我们不是存在着
吗！……逝去……这又意味着什么？还不只是一个词儿！一个没
有意义的声音！我才没心思管它哩……死，绿蒂，被埋在冰冷的
黄土里，那么狭窄，那么黑暗！……我曾有一个女友，在我无以
自立的少年时代，她乃是我的一切。她后来死了，我跟随她的遗
体去到她的墓旁，亲眼看见人家把她的棺木放下坑去，抽出棺下
的绳子并且扯上来，然后便开始填土。土块落在那可怕的匣子
上，咚咚直响；响声越来越沉闷，到最后墓坑整个给填了起来！
这当儿我忍不住一下子扑到墓前……心痛欲裂，号啕悲恸，震惊
恐惧到了极点；尽管如此，却不明白究竟出了什么事，会出什么
事……死亡！坟墓！这些词儿我真不理解啊！

呵，原谅我！原谅我！昨天的事！那会儿我真要死了才好
哩。我的天使哟！第一次，破天荒第一次，在我内心深处确凿无
疑地涌现了这个令我热血沸腾的幸福感觉：她爱我！她爱我！此
刻，我的嘴唇上还燃烧着从你的嘴唇传过来的圣洁的烈火，使我
心中不断生出新的温暖和喜悦。原谅我吧！原谅我！

唉，我早知道你是爱我的，从一开始你对我的几次热情顾盼
中，在我俩第一次握手时，我便知道你爱我；可后来，当我离开
了你，当我在你身边看见阿尔伯特，我又产生了怀疑，因而感到
焦灼和痛苦。

你还记得你给我的那些花么？在那次令人心烦的聚会中，你
不能和我交谈，不能和我握手，便送了这些花给我；我在它们面

前跪了半夜，它们使我确信了你对我的爱啊。可是，唉，这些印象不久便淡漠了，正如一个在领了实实在在的圣体以后内心无比幸福的基督徒，他那蒙受上帝恩赐的幸福感也渐渐会从心中消失一般。

一切都须臾即逝啊，唯有昨天我从你嘴唇上啜饮的生命之火，眼下我感觉它们在我体内燃烧，而且时光尽管流逝，它却永远不会熄灭。她爱我！这条胳膊曾经搂抱过她，这嘴唇在她的嘴唇上颤抖过，这口曾在她的口边低语过。她是我的！——你是我的！对，绿蒂，你永远永远是我的！

阿尔伯特是你丈夫，这又怎么样呢？哼，丈夫！难道我爱你，想把你从他的怀抱中夺到我的怀抱中来，对于这个世界就是罪孽么？罪孽！好，为此我情愿受罚；但我已尝到了这个罪孽的全部甘美滋味，已把生命的琼浆和力量吸进了我心里。从这一刻起你便是我的了！我的了，呵，绿蒂！我要先去啦，去见我的天父，你的天父！我将向他诉说我的不幸，他定会安慰我，直到你到来；那时，我将奔向你，拥抱你，将当着无所不在的上帝的面，永远永远和你拥抱在一起。

我不是在做梦，不是在说胡话！在即将进入坟墓之时，我心中更豁亮了。我们会，我们会再见的！我们将见到你的母亲！我们会见着她，找到她，呵，在她面前倾吐我的衷诚！因为你的母亲，她和你本是一个人呀！

　　将近十一时，维特问他的用人，阿尔伯特是否已回来了。用人回答是的，他已看见阿尔伯特骑着马跑过去。随后，维特便递给他一张没有用信封装的便条，内容是：

　　我拟出外旅行，把你的手枪借我一用好吗？谨祝万事如意！

可爱的绿蒂昨晚上迟迟未能入睡；她所害怕的事情终于证实了，以她不曾预料、不曾担心过的方式证实了。她那一向流得平匀轻快的血液，这时激荡沸腾开来，千百种情感交集着，把她的芳心给搅得乱糟糟的。这是维特在拥抱她时传到她胸中的情火的余焰呢，还是她为维特的放肆失礼而生气的怒火呢？还是她把自己眼前的处境，和过去无忧无虑、天真无邪、充满自信的日子相比较，因此心中深感不快呢？叫她怎么去见自己的丈夫？叫她怎样向他说清楚那一幕啊？——她本来完全可以直言不讳地告诉他，可是到底没有勇气。他俩久久地相对无言，难道她应该首先打破沉默，向自己丈夫交代那一意外的事件，在这不是时候的时候？她担心，仅仅一提起维特来过，就会给丈夫造成不快，更何况那意想不到的灾难！她未必能指望她丈夫会完全明智地看待这件事，在态度中一点不带成见吧？她能希望丈夫愿意明辨她的心迹吗？然而，另一方面，她又怎么可以对自己丈夫装模作样呢？要知道，在他面前，她从来都像水晶般纯洁透明，从来未曾隐讳——也不可能隐讳自己的任何感情。这样做，她有顾虑；那样做，也有顾虑，处境十分尴尬。与此同时，她的思想还一再回到对于她来说已经失去了的维特身上；她丢不开他，又不得不丢开他；而维特没有了她，便没有了一切。

她当时还不完全清楚，那在她和阿尔伯特之间出现的隔膜，对她是个多么沉重的负担。两个本来都如此理智、如此善良的人，开始由于某些暗中存在的分歧而相对无言了，各人都在心头想着自己的是和对方的非，情况便会越弄越复杂，越弄越糟糕，以致到头来变成了一个压根儿再也解不开的死结。设若他俩能早一些讲清楚，设若他俩之间互爱互谅的关系能早一些恢复，心胸得以开阔起来，那么，在此千钧一发的关头，我们的朋友也许还有救。

此外，还有一点特别值得提提。如我们从他的信中知道，维特是从来也不讳言自己渴望离开这个世界的。对这个问题，阿尔伯特常常和他争论，并在绿蒂夫妇之间也不时谈起。阿尔伯特对自杀行为一贯深恶痛绝，不止一次甚至一反常态地激烈表示，他很有理由怀疑维特的这个打算是当真的，并且因此取笑过他几次，也把自己的怀疑告诉过绿蒂。这一方面固然使绿蒂在想到那可能出现的悲剧时宽心了一点，另一方面却又叫她难于启齿，向丈夫诉说眼下苦恼着她的忧虑。

阿尔伯特回到家，绿蒂急忙迎着，神色颇有些窘；他呢，事情没有办好，碰上邻近的那个官员是个不通情理的小气鬼，心头也不痛快，加之道路很难走，更使他没有好气儿。

他问家中有没有什么事情，绿蒂慌慌张张地回答："维特昨晚上来啦！"他问有无信件，绿蒂说一封信和一个包裹已放在他房中。他回自己房间去了，又剩下绿蒂一个人。她所爱的和尊敬的丈夫的归来，在她心中唤起一种新的情绪。回想到他的高尚、他的温柔和他的善良，绿蒂的心便平静多了。她感到有一股神秘的吸引力，使她身不由己地要跟着他走去，于是便拿起针线，像往常一样跨进了他的房间。她发现阿尔伯特正忙着开包裹和读信，信的内容看来颇不令人愉快。她问了丈夫几句话，他回答却很简单，随即就坐在书桌前写起信来。

夫妇俩这么在一起待了一个钟头，绿蒂的心中越来越阴郁。她这会儿才感到，她丈夫的情绪就算好极了，自己也很难把压在心上的事向他剖白。绿蒂堕入了深沉的悲哀之中。与此同时，她却力图将自己的悲哀隐藏起来，把眼泪吞回肚子里去，这更令她加倍难受。

维特的用人一来，她简直狼狈到了极点。用人把维特的便条交给阿尔伯特，他读了便漫不经心地转过头来对绿蒂道：

"把手枪给他，"随即对维特的用人说，"我祝他旅途愉快。"

这话在绿蒂耳里犹如一声响雷。她摇摇晃晃站起来，不知自己在干什么。她一步步挨到墙边，哆哆嗦嗦地取下枪，擦去枪上的灰尘，迟疑了半晌没有交出去；要不是阿尔伯特的询问的目光逼着她，她必定还会拖很久很久。她把那不祥之物递给用人，一句话也讲不出来。用人出门去了，她便收拾起自己的活计，返回自己房中，心里却七上八下，说不出有多么忧虑。她预感到种种可怕的事情。因此，一会儿，她决心去跪在丈夫脚下，向他承认一切，承认昨天晚上发生的事，承认她的过错以及她的预感；一会儿，她又觉得这样做不会有好结果，她能说服丈夫去维特那儿的希望微乎其微。这时，晚饭已经摆好；她的一个好朋友来问点什么事情，原打算马上走的，结果却留了下来，使席间的气氛变得轻松了一些。绿蒂控制住自己，大伙儿谈谈讲讲，不知不觉时间就过去了。

用人拿着枪走进维特的房间；一听说枪是绿蒂亲手交给他的，维特便怀着狂喜一把夺了过去。他吩咐给他送来面包和酒，让他的用人去吃饭，自己却坐下写起信来：

它们经过了你的手，你还擦去了上面的灰尘；我把它们吻了一遍又一遍，因为你曾接触过它们。绿蒂呵，我的天使，是你成全我实现自己的决心！是你，绿蒂，是你把枪交给了我；我曾经渴望从你手中接受死亡，如今我的心愿得以满足了！唔，我盘问过我那小伙子；当你递枪给他时，你的手在颤抖，你连一句"再见"也没有讲！——可悲，可悲！连一句"再见"也没有！难道为了那把我和你永远联结起来的一瞬，你就把我从心中放逐出去了么？绿蒂啊，哪怕再过一千年，也不会把我对那一瞬的印象磨灭！我感觉到，你是不可能恨一个如此热恋你的人的。

饭后，维特叫用人把行李全部捆好，自己撕毁了许多信函，随后再出去清理了几桩债务。事毕回到家来，可过不多会儿又冒雨跑出门去，走进已故的伯爵的花园里，在这废园中转来转去，一直流连到了夜幕降临，才回家来写信：

　　威廉，我已最后一次去看了田野，看了森林，还有天空。你也多珍重吧！亲爱的母亲，请原谅我！威廉，为我安慰安慰她啊！愿上帝保佑你们！我的事情全都已料理好。别了！我们会再见的，到那时将比现在多些欢乐。

　　我对不起你，阿尔伯特，请原谅我吧。我破坏了你家庭的和睦，造成了你俩之间的猜忌。别了！我自愿结束这一切。哦，但愿我的死能带给你们幸福！阿尔伯特，阿尔伯特，使我们的天使幸福吧！你要是做到了，上帝就会保佑你啊！

　　晚上，他又在自己的文书中翻了很久，撕碎和烧毁了其中的许多。然后，他在几个写着威廉的地址的包裹上打好漆封。包内是些记载着他的零星杂感的短文，我过去也曾见过几篇。十点钟，他叫用人给壁炉添了柴，送来一瓶酒，随即便打发小伙子去睡觉。用人和房东的卧室都在离得很远的后院，小伙子一回去便和衣倒上床睡了，以便第二天一大早就去伺候主人；他的主人讲过，明天六点以前邮车就要到门口来。

夜里十一点过

　　周围万籁无声，我心里也同样宁静。我感谢你，上帝，感谢你赐给我最后的时刻以如此多的温暖和力量。

　　我走到窗前，仰望夜空。我亲爱的人呵，透过汹涌的、急飞过我头顶的乌云，我仍看见在茫茫的空际有一颗颗明星！不，你们不会殒落！永恒的主宰在他的心中托负着你们，托负着我。我

看见了群星中最美丽的北斗星。每当我晚上离开了你，每当我跨出你家大门，它就总挂在我的头上。望着它，我常常真是如醉如痴啊！我常常向它举起双手，把它看成是我眼前幸福的神圣象征和吉兆！还有那……哦，绿蒂，什么东西不会叫我想起你呢？在我周围无处没有你！不是么，我不是像个小孩子似的，把你神圣的手指碰过的一切小玩艺儿，都贪得无厌地强占为己有么？

这张可爱的剪影画，我把它遗赠给你，绿蒂！请你珍惜它吧，我在它上面何止吻过千次。每逢出门或回家来。我都要向它挥手告别或者致意。

我给你父亲留了一张字条，请他保护我的遗体。在公墓后面朝向田野的一角，长着两株菩提树，我希望安息在那里。你父亲能够，也必定会为他的朋友帮这个忙的。希望你也替我求他一下。我不想勉强虔诚的基督徒把自己的躯体安放在一个可怜的不幸者旁边①。唉，我希望你们把我葬在路旁，或者幽寂的山谷中，好让过往的祭师和辅祭能在我的墓碑前祝福，撒马利亚人②能洒下泪水几滴。

时候到了，绿蒂！我捏住这冰冷的、可怕的枪柄，心中毫无畏惧，恰似端起一个酒杯，从这杯中，我将把死亡的香醪痛饮！是你把它递给了我，我还有什么可犹豫。一切一切，我生活中的一切希望和梦想，都由此得到了满足！此刻，我就可以冷静地、无动于衷地，去敲死亡的铁门了。

绿蒂啊，只要能为你死，为你献身，我就是幸福的！我愿勇敢地死，高高兴兴地死，只要我的死能给你的生活重新带来宁静，带来快乐。可是，唉，人世间只有很少高尚的人肯为自己的亲眷抛洒热血，以自己的死在他们的朋友中鼓动起新的、百倍的

---

① 按基督教教规，自杀乃是叛教行为，自杀者不能葬入公墓。
② 撒马利亚人指救死扶伤者，典出《新约·路加福音》第十章。

生之勇气。

我希望就穿着身上这些衣服下葬，因为绿蒂你曾经接触过它们，使它们变得神圣了。就这一点，我也在信上请求了你父亲。我的灵魂将飘浮在灵柩上。别让人翻我的衣袋。这个淡红色的蝴蝶结，是我第一次在你弟妹中间见到你时，你戴在胸前的……哦，为我多多地吻孩子们，给他们讲他们不幸的朋友的故事。可爱的孩子们啊！他们眼下好像还围在我身边哩！唉，我是多么地依恋你呀！自从与你相见，我就再离不开你！……这个蝴蝶结，我希望把它和我葬在一起。还是在我过生日那天，你把它送给了我的哟！我真是如饥似渴地接受了你的一切！没想到，唉，我的结局竟是这样！……镇静一点！我求你，镇静点吧！……

子弹已经装好……钟正敲十二点！就这样吧！……绿蒂，绿蒂！别了啊，别了！

有位邻居看见火光闪了一下，接着听见一声枪响，但是随后一切复归于寂静，便没有再留意。

第二天早上六点，用人端着灯走进房来，发现维特躺在地上，身旁是手枪和血。他唤他，扶他坐起来；维特一声不答，只是还在喘气。用人跑去请大夫，通知阿尔伯特。绿蒂听见门铃响，浑身顿时战栗开了。她叫醒丈夫，两人一同起来；维特的年轻用人哭喊着，结巴着，报告了凶信。绿蒂一听便昏倒在阿尔伯特跟前。

等大夫赶到出事地点，发现躺在地上的维特已经没救了，脉搏倒还在跳，可四肢已经僵硬。维特对准右眼上方的额头开了一枪，脑浆都迸出来了。大夫不必要地割开他胳膊上的一条动脉，血流出来，可他仍有喘息。

从靠椅扶手上的血迹断定，他是坐在书桌前完成此举的，随后却摔到地上，痛得围着椅子打滚。最后，他仰卧着，面对窗户，

再也没有动弹的力气。此刻，他仍穿的是那套他心爱的服装：长筒皮靴，青色燕尾服，再配上黄色的背心。

房东一家、左邻右舍以及全城居民都惊动了。阿尔伯特走进房来，维特已被众人放到床上，额头扎着绷带，脸色已成死灰，四肢一动不动。只有肺部还在可怕地喘哮着，一会儿轻，一会儿重，大伙儿都盼着他快点断气。

昨夜要的酒他只喝了一杯。书桌上摊开着一本《艾米莉亚·迦洛蒂》①。

关于阿尔伯特的震惊和绿蒂的悲恸，我就不用讲了。

老总管闻讯匆匆赶来，泪流满面地亲吻垂死的维特。他的几个大一点的儿子也接踵而至，一齐跪倒床前，放声大哭，吻了他的手，吻了他的嘴。尤其是平日最得维特喜欢的老大，更是一直吻着他，直至他断气，人家才把这孩子给强行拖开。维特断气的时间是正午十二点。由于总管亲临现场并做过布置，才防止了市民蜂拥而至。当晚十一点不到，他便吩咐大伙儿把维特葬在他自行选定的墓地里。老人领着儿子们走在维特的遗体后面；阿尔伯特没能来，绿蒂的生命叫他担忧。几名手工匠人抬着维特，没有任何教士来给他送葬。

---

① 《艾米莉亚·迦洛蒂》是德国伟大作家莱辛（Gotthold Ephraim Lessing, 1729—1831）的著名抗暴悲剧。女主人公的父亲是一位军官，他为了不让女儿被暴君玷污，亲手杀死了女儿。

附录　歌德 Novelle（传奇小说）三题

译者引言

　　歌德不仅以伟大的诗剧《浮士德》以及优秀的长篇小说和抒情诗丰富了德国和世界文的宝库，而且也创作过一些中、短篇小说，为这种源于意大利、被称为 Novellc 的体裁在德国的产生和发展，作出过重要贡献。

　　Novelle（1827）为歌德中短篇小说的最后一篇，也是最成功的一篇。歌德视它为当时尚处于摸索尝试阶段的 Novelle 创作的典范，因此直接题名为 Novelle，并指出 Novelle 的传奇本质说："要知道，Novelle 不过就是一个闻所未闻的的事件而已。这就是这个词的本来意义……。我插在《亲和力》里的那篇 Novelle（指《一对奇怪的小邻居》——译者），也是本来意义上的一个闻所未闻的事件。"据此我们可以讲，Novelle 这一德语文学特别擅长因而硕果累累的体裁，和我国的传奇小说十分类似。

　　Novelle 这篇作品内容单纯，情节集中，格调明朗而富传奇色彩，后半部分更诗意盎然，都适应了歌德所理解的 Novelle 的要求。就主题思想而言，它则以象征和寓意的手法，用一个孩子驯服猛狮的故事，表现了作者所怀抱的以艺术改造世界、以美育陶冶人心、以仁爱制胜暴力的理想。

＊

Novelle

　　清晨，浓重的秋雾还包裹着侯爵府邸内一所所宽广的居室；但透过渐渐变得稀薄起来的雾幕，在庭院中已经隐隐约约看得见一支准备出猎的队伍，或骑马，或徒步，往来穿梭地在忙碌着了。近在跟前的一些人的紧张活动可以看得清楚：有的在放长马镫，有的在收短马镫，有的在传递猎枪和弹药，有的在整理背囊；与此同时，拴在皮带上的一大群猎狗却急不可耐地往前窜动，那个牵它们的人差点儿就给拖着一起跑去。这儿那儿地还有一匹马在扬蹄奋鬃，要么是出于本身暴烈的本性的驱使，要么是受了骑手的马刺的刺激，要知道在这天色微明时分，它也忍不住想显示显示自己哩。全部人马已经整装待发，就等着与自己年轻的妻子告别而迟迟不肯露面的侯爵。

　　他俩不久前才结为夫妇，但已感到情投意合，无比幸福；两人都生性活泼好动，一个对于另一个的兴趣和爱好总是高高兴兴地给予同情和支持。侯爵的父亲享有高龄，来得及看见侯国中所以臣民都一样地勤谨度日，各人以自己的方式工作和劳动，先创造，然后享受。

　　他们取得了多大的成效，眼下就有明摆着的事实，因为这些日子正好开大集市，那简直称得上是一次博览会。昨天，侯爵已领着自己的妻子，驱马去那如山的货物堆中转了一通，让她看看正是在这儿，山区和平原如何进行着互利的交易；他知道亲临市集，能使她了解到他的领地有多么殷实富足。

如果说在这些天，侯爵和自己身边的人老是谈论有关眼前这个市集的问题，特别是与他那位财政大臣一工作起来就没个完的话，那么他的狩猎总监却也不愿放弃行使自己的权力；时下秋高气爽，在他看来是非进行那已经推迟的逐猎不可了，这将使他自己和那许多外来的客人过上一次别有风味的难逢难遇的节日。

侯爵夫人很不情愿留下；猎手们决定要进到深山，让那些老林中的和平居民们受一点惊骇，以为突然来了一支敌人的部队。

临分手，侯爵没有忘记建议妻子在他叔叔弗里德利希的陪伴下骑马出去散散心。"我把咱们的霍诺利奥也留给你，"他说，"做你的马厩监督和近侍，他会料理好一切的。"

侯爵说完走下台阶，同时对一个身材魁梧的年轻人发出必要的指示，随后就在客人和仆从们的簇拥下，迅速离去了。

侯爵夫人对已走进院子里的丈夫还挥了一阵手帕，现在才退回后面的房间：在那儿能自由自在地眺望进山的大道。府邸本身就坐落在高出河岸不少的山坡上，所以不论朝前朝后，都有变化多端的景致可供观赏。她发现昨天傍晚架在那儿的一台望远镜还一动未动；他们当时就是用这台奇妙的仪器，越过丛莽、山丘和林梢，观赏了那些他们的祖辈曾经居住过的古堡的废墟；夕照中，大片大片的光与影形成强烈对比，那古代宝贵遗迹的轮廓便显得格外分明，格外宏伟壮丽。在古堡的围墙中间，挺立着经年的参天巨树，种类繁多，给秋色一染，今天早上看起来也十分悦目显眼。美丽的少妇却把镜头稍稍往下搬了一点，对准一片荒芜的砂石地，那是打猎的队伍必须经过的地方；她耐心地等待着，果然如愿以偿：借助这只清晰而放大力强的望远镜，她那双闪闪发光的眼睛清清楚楚地认出了侯爵和他的马厩总管；是的，她甚至忍不住再次对他挥起手帕来，在她与其说是看清，不如说是猜测他又停了停，并且回过头来张望的时候。

随后用人报告说，侯爵的叔叔弗里德利希老爷来了。老爷爷走进来，带着他那位腋下挟着一个大皮夹的绘图师。

"亲爱的侄媳，"身体很结实的老爷子说，"我们这儿送来了古堡的分解图；画这些图是为了从各个方面让人看清楚，这座古代的大城堡何以能经年累月，抗住了风霜雨雪的侵蚀，而周围的墙垣却经受不住，这儿那儿地已经坍塌，变成了一堆堆破砖碎石。现在我们已清理了下，又可以上得去了；除此不用再做任何事情，就足以叫每一个漫游者和每一个来访的客人大为惊讶。"

老侯爵摊开图纸，指着其中一张继续说："瞧，从通过外墙的峡谷爬上去，来到城堡跟前，突然就会发现一尊在整个山里头也算最大最坚硬的岩石兀立在我们前面；岩头上又耸立着一座被内墙围起来的望楼，真叫谁也说不清楚，哪儿是自然生成，哪儿是人工兴建。再往旁边瞅，则是紧接在一起的围墙，以及内外墙之间像台阶似的向下延伸的甬道。不过我说得还不准确，要知道把这架古老的山峰包围着的本是一座森林，一百五十年来就从未砍伐过，到处都生长着参天的巨树；不论你走到围墙边的什么地方，你眼前都总挺立着树干光滑的槭树，树皮粗糙的橡树，和细高细高的根须突露的松树；我们必须小心地绕过它们，才能找到路径。瞧瞧，我们的大师把这特点画得有多清楚，各种盘绕纠结在石墙之间的树干树根都一目了然，那些从墙缝里长出来的粗大树枝也历历可见！真好一个无与伦比的荒芜景象，真好一处绝无仅有的奇妙所在；在这里，呈现在你面前的是一场殊死的搏斗，久已逝去的人类创造力的古老遗迹与永远生动、永远活跃的大自然之间的搏斗。"

老侯爵摊开另一张图，又说："可对这个庭院你能讲些什么呢？大门边的老望楼倒下来，堵死了它的通道，不知从什么时候起就再没人踏过它的地面了。我们想办法从侧面钻进去，打通了围墙，炸塌了穹顶，终于开辟出一条舒适而又秘密的道路。内面则无须任何清理，那儿是一块天然生成的石头平坝，只不过这儿那儿仍有巨大的树木生了根；它们生长得很缓慢，但却十分顽强，已经把自己的枝丫伸到了当年曾经是骑士们来来去去的长廊边，是的，甚至穿过门窗，伸进了一座座穹顶的大厅里；不过我们也不想把它们赶出去，它们事实上已经成了这儿的主人，就让它们继续地当家做主吧。在清除掉积在地上的残叶以后，我们才发现这块奇怪的院坝竟是这样平整，走遍全世界恐怕也见不到第二处。

"尽管已经讲了这么多，还是值得提一提，有必要到现场去看一看：在那些通往主望楼的台阶上，有一株槭树扎下了根，它长得如此粗壮，人要费老大的劲儿才能挤过去，然后才能登上望楼，极目远眺。不过在那儿你仍然可以舒适地流连在树荫下，要知道这株巨树高耸入云，整个望楼都受着它的荫蔽。

"咱们真该感谢这位杰出的艺术家，是他绘了各式各样的图，令人赞叹地使咱们相信这一切，就像已经身临其境似的。为此他耗费了一天中最美好的时辰，一年中最美好的季节，接连许多个礼拜活动在古堡周围。在这个角落上，为他和咱们派给他的卫士建了一所舒适的住宅。叫人简直无法相信，亲爱的，他在那儿开辟出了一个多么美的风景区，既可远眺山野，又可俯瞰府邸，还可观赏残垣断壁。不过，既然一切都已清楚明白地勾画在纸上，他在这下边也可以不费力气地讲给人听。让这些画去装饰咱们的花厅吧；叫任何一个观赏过咱们布置整严的厅堂、凉亭和林荫道的客人，都不能不渴望再实地去见识见识那混杂着古与今、倔强与坚韧、僵死与新鲜、难以摧毁的人类的创造与不可抵抗的自然的威力的奇异景象。"

霍诺利奥进屋来，报告马匹已经牵到；侯爵夫人于是转过脸去对叔叔说：

"咱们骑马上去吧；让我实地看看你在这儿用图对我说明的一切。自从来到侯爵府，我就听说这件事，可直到现在才真正渴望亲眼去见识一下那在我听起来是不可能的情况，即便有了图，我仍觉得难以想象。"

"现在还不成啊，亲爱的，"老侯爵回答说，"你刚才在图里见到的，还只是将来可能变成也一定会变成的样子；目前还有些障碍，必须再加一些人工，使其达到完美，这样在造物面前，人才不至于相形见绌。"

"那咱们至少也骑着马上山去走走，就算只走到峰脚下也好；今天我真想到野外去看看。"

"这完全可以。"老侯爵回答。

"不过让咱们从城里走，要经过大市集广场，"少妇接着说，"在那儿开着无数的摊挡，看上去就像一座小城或者一片营地似的。仿佛本地的千家万户都把自己日常的需求和活动搬到了露天里来，集中在一起进行展览，一个留心的观察者在这里便可看见人类所能够和所需要的一切，你在一瞬间甚至会想入非非，以为根本无须乎金钱，单凭交换就能在这里做成任何一种交易，而说到底也确实如此。自从昨天侯爵使我有机会去浏览一番以后，我就老爱想象，在这山区和平原紧紧相邻的侯国里，双方把自己的需要和愿望表达得何等明白呵。山民们巧妙地把自己林子里的木材变成了千百种形态，用铁打出了应有尽有的用具；平原上的人呢，也拿五花八门的货物来满足他们的愿望，有的货物叫人几乎辨不出是用什么做的，常常也不了解用处何在。"

"这我知道，"老侯爵回答说，"我侄儿最关心的就是这件事。特别眼下的季节，正是收入多于支出的时候；国家的整个财政收入，归根结底就看这一招，跟国内最小的人家没有区别。可是请原谅，我从来不高兴骑着马打市集和人群聚集的地方经过：你真是寸步难行，走一走又给拦住；而且，我脑子里立刻会再现那可悲的景象，仿佛又看见大片大片的货物为烈火吞没，眼睛也因此感到灼痛似的。我几乎就没法……"

"让咱们别错过美好的时辰。"侯爵夫人插断了他的话；她已经听老爷子把那次灾难详细描绘过好几次，每次都曾胆战心惊。原来，在一次长途旅行中，老侯爵某晚曾下榻在市集广场上的头等旅馆里，由于已经极度疲倦，一进屋就倒在床上睡了；其时正逢着开大集市，不期半夜里喊声四起，他惊醒过来一看，可怕的烈火已经卷到了他住房外。

侯爵夫人匆匆跨上心爱的坐骑，领着她那虽不心甘情愿却唯命是从的亲随，没有通过后门往山上走，而是打前门下山去了。要知道，有谁不乐意与她并辔而行，有谁不乐意追随她的芳踪呢。就说眼下的霍诺利奥吧，他就是放弃已经盼望了很久的出猎，自愿留下来单独侍候她的啊。

如所预料，他们在集市上只能一步一步地往前走；不过每次一被迫停下来，美丽温柔的少妇就发表一通机智聪明的言论，使情绪变得愉快。"既然我们的耐心不得不接受考验，那我就乐得来温习一下昨天的功课。"她说。而人群也真的一齐拼命朝着两位骑者的旁边挤，他们便只能慢吞吞地往前行进。民众都乐于一睹少妇的风采，当他们看见国中的第一夫人确实美丽至极，温柔至极，无数张笑脸上便流露出了巨大的欣喜。

那些静静地居住在岩石和松柏间的山里人，那些来自丘陵、沃野和牧区的居民，那些小城镇的手工业者以及其他各色人等，全都不分彼此地挤挤挨挨地站在一起。侯爵夫人在冷静地观察过一番以后对她的亲随说，所有这些人不管来自何方，他们用来做衣服的布料都太多了，他们用来做绉襞和边饰的呢、麻、缎带也太多了，仿佛女人们老嫌自己不够肥胖，男人们老嫌自己不够富态似的。

"这个咱们就随他去吧，"叔叔回答说，"人有了富余总得花掉才开心，而最开心的又莫过于用来穿戴打扮自己。"

美丽的少妇点头表示同意。

一行人如此地慢慢走到了通往市郊的一处空场，这儿店铺和摊挡没有了，却出现一座用木板搭成的大棚子。他们刚发现这奇怪的建筑，就听见从前面传来一阵震耳欲聋的吼声。看来是关在那里面供人参观的野兽们进食的时间到了。雄狮这森林和沙漠之王吼叫得最带劲儿，马匹们吓得直打哆嗦，使人不禁意识到，在这文明世界的和平生活和劳动中，这野兽之王是太可怕啦。走到木板棚跟前，他们也就不能不看看那些花花绿绿的巨幅招贴画：一头头当地没有的野兽，色彩是如此强烈，样子是如此凶猛，叫和平的国民们克制不住心中的好奇，说什么都得进去解解眼馋。一只大老虎正气势汹汹地扑向一个摩尔人，眼瞅着就要把他撕成碎片；一头雄狮威风凛凛地立在岗头，仿佛在眼前见不到它屑于去猎取的大动物；在这两头猛兽旁边，其他那些形形色色的小野兽就不怎么引人注目了。

"咱们在回来的时候，也不妨下马进去瞧瞧这些个稀客。"侯爵夫人说。

"说来也怪，"老侯爵答道，"人总喜欢让可怕的事物来刺激自己。里边的老虎明明是安安静静地躺在笼子里的，这外边却一定得气势汹汹地扑向一个摩尔人，好叫人相信在里边也能看见同样的景象；世界上的谋杀和行凶还不够，火灾和沉沦还不够，还一定得有说唱艺人去到处一次次地反复宣讲。善良的人们都乐于受此惊吓，以便事过以后能真正体会到，能自由地呼吸是多么美，多么值得称赞。"

一行人出了城门，来到爽朗开阔的野外，立刻把刚才从那些怕人的图画上得来的可怖印象统统忘了个一干二净。开始时他们走的是一条沿河的大道；在眼前河床虽然还很窄，只能行一些小舟，但渐渐地就会变成一条著名的大河，带给远方的国度以蓬勃的生机。随后他们又穿过一座座培植得很好的果园和花园，继续慢慢向山上爬去；他们一边走一边环视这开阔而舒适的居住区，直到先进了一片小树丛，然后来到一座森林里；这些幽静无比的树林虽然遮住了他们的视线，却也令他们赏心悦目。随后亲切地迎接他们的是一道通向山上的谷地，谷中的牧草刚割过第二茬，由于得着一条从上边欢快地流下来的泉水的滋养灌溉，眼下又已是绿茸茸的；临了儿，在走出森林以后，他们又兴致勃勃地继续往上爬，就到了一处更高的比较开阔的地点；从这儿再抬头望去，才看见远远地在一些别样种类的树丛之上，形似峰巅或林梢地高高耸立着那座古堡——他们这次远游的目的地。但回过头来——要知道从来没谁爬到了这里能不回一回头的——，透过巨大挺拔的树木之间偶尔留下的空隙，他们能看清左边的侯爵府邸在朝阳中闪闪发光，能看清建筑得很好的上半城的空中炊烟袅袅，以及再往右边的下半城和曲折蜿蜒的河流；河上建着一座座磨坊，岸边伸展着一块块牧地；正对面则为一片广袤而肥沃的田野。

大伙儿在饱览了眼前的风光以后，或者更确切地说，跟我们在登高远眺时经常发生的那样，他们这才真正产生了站得更高、看得更远的欲望，于是又策马继续朝一片宽阔的岩头爬去；到了岩上再看，那座巨大的废墟就像一柱戴着绿冠的峰巅似的立在他们眼前，峰脚下围绕着一些年岁还不太大的树木；他们穿过岩头，蓦然发现正好走到了最为陡峻、最难攀登的一侧。巉岩峭壁耸峙在面前，从古至今就这么生了根似的没有任何变动；其间从山顶上坠下来的巨石则跌得大块大块的，像是一堆乱七八糟的废墟，叫最大胆的人也不敢去碰一碰。倒是那陡峻的岩壁似乎还能吸引青年人；去冒险攀登它们，征服它们，对于青春的躯体来说将是一种享受。侯爵夫人表现出来跃跃欲试的兴致；霍诺利奥立刻上前搀扶她；老爵爷尽管贪图舒服，却也愿意奉陪，不想显得老不中用的样子；马匹被拴在了峰下的树林里；大伙儿打算爬到一块凸出的足够站住他们的岩石上，从那儿鸟瞰山下；到了目的地，山下的景物看上去虽然已经变得如此之小，却仍然如一幅画似的美不胜收。

差不多已经当顶的太阳显得辉煌灿烂，侯爵的府邸连同它的各个部分以及一幢幢主楼、侧翼、圆顶、钟楼看上去简直富丽极啦。上城完全伸展开了，下城也看得很舒服。是的，通过望远镜，甚至可以把市集上的小摊挡也一个一个分辨清楚。霍诺利奥习惯了总在身上背这么个器械。借助它，他们观看着河的上游和下游，以及河这边山坡上的梯田，河对岸平坦整齐的和丘陵起伏的沃野，此外还有无数的村落。要知道从这儿究竟能看见多少村庄，历来就有争论啊。

在辽阔的大地上一派宁静气氛，正如每到中午时那样，因为老人们说，潘恩①这会儿在睡觉啦，整个自然界都屏住呼吸，生怕吵醒了他。

"这已经不是第一次了，"侯爵夫人说，"我站在高处眺望，总会有这么一种感受：瞧这明朗的自然界是多么纯净和平啊，简直给人一个印象，好像世界上压根儿不可能有什么不顺心的事似的；可是一回到人居住的地方，不管房子是高是矮，是宽是窄，总有没完没了的争斗、矛盾、仲裁、调停。"

这时候霍诺利奥用望远镜朝城市的方向看了看，突然大叫起来：

"快瞧！快瞧！市集上失火了。"

众人一起望去，但只看见很少的烟，火焰在大白天里看不怎么明显。

① 希腊神话里的森林之神和牧神。

"火势在继续蔓延！"一直举着望远镜没放的霍诺利奥高声说。这时侯爵夫人仅凭着一双好眼睛也看清楚了城里发生的不幸：只见不时地有一股红色的火舌窜起来，浓烟直冲云霄，老侯爵于是说：

"让咱们回去吧，情况不妙，我总是害怕会第二次经历那样的灾难。"

一行人爬下峭壁，朝着马匹走去，这时侯爵夫人对老爷子说：

"请您先赶回去，但一定带上马夫；把霍诺利奥留给我，我们随后就来。"

老侯爵感到此话有理，必须这么办，就骑上马尽可能迅速地跑下布满乱石的荒山坡去了。

在侯爵夫人上马以后，霍诺利奥便说：

"我请求您骑慢点，夫人！城里和府中的消防设施一样完备，人们不会让这突如其来的意外事件吓昏了脑袋的。这儿的地面太糟，净是石块和浅草，骑快了很不安全，反正等我们赶到家，火已经灭了。"

侯爵夫人不信他的话，她看见黑烟继续蔓延，并觉得眼前升起一道闪电，耳畔轰地响了一声，想象中立刻出现她叔叔一再讲过的他亲身经历的那次市集火灾的种种可怕情景；很遗憾，它们留在她脑子里的印象太深刻了。

那一次火灾实在是可怕，来得如此突然，如此迅猛，难怪使人终生心惊胆战，总想着同样的不幸会再次发生。那是深更夜半，在巨大的市集广场上，一片陡然升起的大火攫住了一个挨着一个的摊挡、店铺，还在来得及把那些沉沉酣睡在店内和店旁的人们撼醒以前；作为一个长途跋涉的异乡人，老侯爵疲乏地刚刚进入梦乡，便被吓醒过来奔到窗前，一看外面什么东西都照得通明透亮，烈焰正追逐着烈焰，不住地向左右两方窜扰，并冲着他吐出火舌。广场上被反光映得通红的房舍也像在燃烧似的，随时都有可能接上火头，在烈焰中灰飞烟灭；火势不住地蔓延，木柱和板条被烧得毕毕剥剥地爆响，篷布则飞到空中，拖着冒出火苗儿的碎尾巴在头顶上飘来荡去，好像是一些恶魔附了体，在那儿尽情狂舞，等把自己的化身耗尽以后再从其他什么地方的烈火中重新升起。随后人人都嘶叫着抢救手边的财物，仆人和主人一起拖走已经烧着的货包，拼命想从冒着烟火的棚架上再拔下点什么来，把它塞进木箱里，可到头来连木箱也不得不让飞快卷来的烈火夺去。更有少数人存着迎面扑来的大火会稍停片刻的幻想，在那儿左思右想地找对策，结果连人带物一会儿就被火焰吞没了。城市的一面已是火光烛天，而另一面却仍然笼罩着沉沉黑夜。一些意志坚强和性情迂执的人，不顾烧掉自己的眉毛头发，仍然同凶暴的敌人进行着拼死的抗争，尽力地抢救着一些东西。遗憾的是眼下在侯爵夫人美好的心灵中，这可怕的混乱情景又得到了重演，于是明朗的充满朝气的自然界似乎便罩上了迷雾，她的美目变得阴沉了。森林和草地看上去也怪怕人的。

下到幽静的山谷中，他们全然不再感到这儿的空气是多么凉爽宜人。离那道欢快地流淌着的山泉还没有走几步，蓦地里侯爵夫人便发现在谷地最底下的一丛小树林中，有一个异物在蠢动：她立刻认出是一头老虎。这畜生就像她在画面上看见的那样正准备向他们扑过来，而比起适才使她感兴趣的那些画，眼前的情景所造成的影响就太奇怪了。

"快逃，夫人！"霍诺利奥大呼，"快逃命！"

她勒转马头，朝她刚刚走下来的陡峻的山坡冲去。年轻人却面对着老虎拔出火铳，在他认为已经够近的时候放了一铳，可惜的是没有打中，老虎往旁边一跃，马倒给吓愣了。被激怒了的猛兽不顾其他，径直尾随着侯爵夫人朝山上奔去。侯爵夫人也拼命往倾斜的石坡上疾驰，顾不上胯下的娇惯的牲口能不能经受住如此劳累。那马被背上的女骑手驱策着，一次一次地让山坡上的小卵石碰痛了蹄子，尽管奋力挣扎，最后到底疲劳过度，无力地倒在地上了。美丽的夫人非常果敢机灵，一下就跳到了地上；那马也慢慢站立起来，可这时老虎已经逼近，虽然跑得并不非常快。坑洼不平的地面，锋利突出的石块，似乎都妨碍它的前进；只有先紧追不舍、随后齐头并进的骑士霍诺利奥，给了它新的刺激，使它鼓起劲儿继续奔跑。侯爵夫人站在马旁，眼见着猛虎和骑手同时冲到眼前。就在此危急关头，霍诺利奥从马背上弯下腰来，用第二只火铳对准那庞然大物的脑门儿又是一铳。这下打个正着，老虎顿时倒在地上，伸开了四肢，让人真正看清了它有多么威武和可怕，虽然躺在眼前的仅仅只是它的无生命的躯体。霍诺利奥纵身下马，一下跪在老虎身上，右手握着出鞘的宝剑，不让那畜生作最后的挣扎。年轻人的模样真叫英俊，在他疾驰而来的一瞬间，侯爵夫人觉得就跟常常在比武场上看见他的时候一个样。在狂奔着的马背上，他的子弹就曾这样命中插在木桩上的土耳其人的脑袋，而且不偏不斜，正好射着那大缠头下的前额；同样准确地，他手执明晃晃的宝剑，在骏马飞驰而过的一刹那，就将地上的摩尔人脑袋挑了起来。对于所有这些武艺他都娴熟精通，得心应手，在此地也就得到了施展。

"给它留下最后一口气吧，"侯爵夫人说，"我担心它还会用爪子伤着你。"

"请原谅！"霍诺利奥回答，"它已经完全死了，而我也不愿弄坏它的皮，好让这皮在即将到了的冬天给您的雪橇增加光彩。"

"可别造孽！"侯爵夫人说，"此时此地，还有什么蕴藏在一个人内心深处的虔诚的感情能不苏醒过来呵。"

"我也一样，从来没比现在更加虔诚，"霍诺利奥高声道，"可也正因为如此，我便想到那最令人高兴的情景，我看这张虎皮就只能陪伴着您，增添您乘雪橇出游的快乐。"

"可它将总是使我记起这可怕的时刻。"她回答。

"不过比起那些抬到胜利者面前展览的已被杀死的敌人的武器来，"年轻人通红着脸又说，"这件战利品不会更使人问心有愧。"

"见着它我将想起你的勇敢和机智，甚至也可以说，你可以终生指望受到我的感激以及侯爵的恩宠。起来吧，老虎已经死了，我们该想想下一步怎么办，但首先得站起来！"

"不，"年轻人回答，"既然我已跪着，已处于一种我平时说什么也不能采取的姿态，那就让我以这样的姿态请求您，让我此刻就得到一点您答应给我的眷顾和恩典吧。我曾多次地恳求您高贵的丈夫，求他准我的假，给我一次远游的机会。谁要享有在您的宴席上就座的荣幸，并且以自己的谈吐来娱悦您的宾客，他就必须是一个见过世面的人。旅行者来自四面八方，每当谈起一个城市，谈起世界上某一洲的一个要地时，每次都会问您的亲随，他是否到过那里。可是人家绝不会相信他的话，要是他不曾亲眼见过一切；这就好像一个人之所以受教育，完全是为了别的人似的。"

"站起来！"侯爵夫人再次吩咐道，"我不高兴违背我丈夫的想法，去表示什么愿望和请求什么。不过，我要是看得不错的话，他迄今一直留下你的原因，很快就会不存在了。他的意图是要亲眼看着你成熟起来，成为一个有自立能力的。在外边也能像过去在府里一样为自己和他争来荣誉的骑士，而你今天的行为，我想就是一个年轻人已能走向世界的最好凭证。"

然而掠过霍诺利奥脸面的不是青春的喜悦，而是某种哀伤，但侯爵夫人没时间注意到这个，霍诺利奥本人也来不及吐露衷情；这时从山下已经跑来一个神色慌张的妇女，一只手牵着个男孩，径直奔向他们。还没等霍诺利奥考虑好站起身，那女人已哭喊着一头扑在老虎的尸体上；从这举动以及一身虽说整洁但却色彩鲜艳奇特的衣裙已可猜出,她准是这头被结果了的畜生的驯养者和主人无疑。那男孩生着一脑袋黑色的鬈发,一双眼睛也是黑黑的,手里拿着一支小笛儿,也跪在母亲旁边跟着一起哭泣,虽说不像她那么呼天抢地,但深为悲痛。

不幸的妇人在尽情地哭过以后又絮絮叨叨地述说起来,虽然有点结结巴巴,可话音始终不断,就像从一处山岩泻向另一处山岩的流泉。她操的是一种急促简短的土语,听起来恳求而感人,但想译成我们的方言却又白费劲儿,尽管大意我们也能明白。

"他们把你给打杀了呵,可怜的畜生!他们压根儿用不着这么干啊!你是这么听话,本来会静悄悄地躺下来等着我们的。要知道你的脚掌已经发痛,你的爪子已经没有了力气!因为你太阳晒得太少了,生不出力气啊。在你的同类中,你可是最最漂亮的一只;有谁什么时候见过一只老虎睡直了有这么好看呢,就像你这会儿躺在这儿一样,尽管已经死了,再也站不起来了。每天早上天一亮你就醒来,张开大嘴,吐出红红的舌头,冲着我们像是在微笑哩;还有,你吼起来尽管声音很大,从一个女人手里和一个小孩儿指头中间吃食的时候却跟玩儿似的!多少年来我们和你一起走南闯北,多少年来我们都离不开你,从你那儿得到好处!我们,我们的全部吃喝都靠这些畜生;我们的甘美的食粮都来自这些猛兽。可现在已经全完了!天啦,天啦!"

女人还在没完没了地诉苦,这时绕着山腰,从古堡的背后却跑来一队骑手。侯爵夫人很快认出是跟丈夫去打猎的随从,侯爵本人则一马当先。他们在后边的山里头行猎时看见失火的黑烟,便越过山谷和深涧,跟猛追野物似的径直奔那可悲的信号而来。在迅速翻过光秃秃的石坡以后,他们突然停步不前,在那儿发起愣来,确原是意外地发现了站在下面空旷地上的奇怪的一群。两方面的人彼此刚一认出来时全成了哑巴,在略微缓过气以后才三言两语解释清楚眼前这莫名其妙的情况。于是,由一群骑士和随后赶上来的徒步的仆从簇拥着，侯爵便不得不着手处理这样一桩稀罕的闻所未闻的事件。该做什么是不难决定的，侯爵正忙着发出指示，让手下立即执行，这时却有一个身材魁梧的汉子挤进人丛中来，身上也和妇人和男孩一样穿得花花绿绿，古里古怪。这一下妇人和男孩又开始哭天喊地，说实在没想到会遭此意外。那汉子却非常冷静，站在对侯爵表示出尊敬的距离外，说：

"眼下不是诉苦的时候。呵，我的主人和高贵的猎手，请容我向您报告，雄狮也逃出来了，也跑进了这一带的山里；可是求求您别伤害它，发发慈悲，别让它跟这头可爱的老虎一样死去。"

"雄狮？"侯爵问，"你发现了它的踪迹？"

"是的，老爷。一个农民被它吓得爬到了树上，本来没有必要；他让我再往左边山上去找，可我发现这儿有这么多人和马，便跑来看个究竟，请求帮助。"

"既然如此就必须往左追赶，"侯爵吩咐说，"给你们的枪填好弹药，悄悄地赶上去，要能把它撵进深山密林就算不错了；不过归根到底，朋友，我们无法挽救你那畜生。谁叫你们不当心，让它给跑了呢？"

"都怪发生了火灾，"汉子回答，"本来我们挺沉着和小心，火势蔓延得虽快，但离我们还远，我们有足够的水灭火。谁料这时一个火药库爆炸了，烈火一直冲我们飞来，甚至越过了我们的头顶。这下子我们才张皇失措，发生了现在的不幸。"

侯爵还在忙着吩咐这吩咐那，突然之间所有的人又愣住了，只见从山上的古堡方向急急忙忙地奔下一个人来，一看正是奉命在上边替绘图师看画室的那个卫士。他住在画室里边，顺带监督清理古堡的工人。他跑到时已经上气不接下气，但很快就用几句话讲清了情况：在山上比较高的围墙背后，一株百年老榉树的脚下，那头雄狮正安安静静地躺在地上晒太阳。这个粗汉末了很懊恼地说：

"鬼知道昨天我干吗把枪背到城里擦拭去了！它要在我手边，那畜生就休想再站起来，这下皮便归我所有，我一辈子都可以以此为傲不是？"

在此不可避免的危险从各方同时逼上来的节骨眼上，侯爵又显示出是一位有军事经验的指挥者。他问：

"要是我们不伤害你们的狮子，你们能给我什么保证，让我相信它不会在我的国土上危害我的臣民呢？"

"这个女人和这个孩子，"那做父亲的赶紧回答，"他们负责去驯服它，让它一直安安静静地待着，直到我去把铁笼子搬上来，重新关它进去，这样既使它不伤害人，也使它免遭伤害。"

这当口男孩似乎已经跃跃欲试，准备吹他的小笛儿。那是一支人们通常称为甜笛的木管直笛，鸟喙儿似的衔口短短的，很像支烟袋，但在行家的手里却会吹出极美的音调。侯爵问古堡看守人，狮子是这么上去的。看守人回答：

"通过那道两边垒上了墙的窄路呗。这历来就是唯一的通道，现在仍然如此。本来还有两条小路，可全让咱们给弄得无法走了；要知道按照弗里德利希老侯爵的想法和口味，要让任何想去参观那座神奇的古堡的人，都非得走刚才讲的窄路不可。"

侯爵望着继续在轻轻试吹着竖笛的小男孩，沉吟片刻，然后转而对霍诺利奥说：

"今天你已干了不少事，那就善始善终吧。你去守住狭窄的通道，端起你的枪，但是只要还有任何别的办法能赶那畜生回去，就不准开火；不过无论如何得生起一堆火来，它见着火就不敢下山了。剩下的事情由这一男一女去处理。"——霍诺利奥赶紧去执行自己的使命。

男孩则专心吹着自己的笛子，所吹出来的只不过一连串无规则的音符，似乎不成什么曲调；但是唯其如此，倒格外使人觉得不寻常，格外能抓住人心，周围的人全都像被一支美妙的歌曲给迷住了。这当口孩子的父亲便满怀激情地开始讲起话来：

"上帝给了侯爵以智慧，同时也让他认识到，上帝的造物全都具有灵性，只是各自有着不同的表现方式。请看这座巨岩，它岿然屹立，一动不动，抗拒着风雨侵蚀，日晒夜露；古老的树木装饰着它的头颅，它就这么傲然环视远方；倘若有一块掉了下来，也不愿保持故态，而是摔成许多碎块，铺盖在山坡上。但就此还不肯罢休，而是勇敢地往深渊里跳跃，直到溪流接纳它们，送它们到大江里去。从此它们就百依百顺，乖乖地磨去棱角，变得又滑又圆，以便更快地赶路，从一条江河到一条江河，直到终于投进大洋的怀抱，在那儿有成群的巨人在水面巡行，而侏儒则麇集在深深的海中。

"星星们万代不变地赞颂着主的光荣，而人有谁这样做！可你们干吗遥望远方？看看眼前这只蜜蜂吧！已经到了深秋时节，它还在辛勤地采集花粉，并且既当师傅又当伙计，为自己建造着一所有棱有角、平平稳稳的新居。再看看那儿那只蚂蚁！它认识自己的路，从不迷失方向；它用草茎、土屑和松针建造自己的住宅，使它高高隆起，并且有一个拱顶；可是它白费力气，马踏在上面，一切都土崩瓦解！你们瞧，马踩断了屋梁，踢飞了椽子，不耐烦地喷着鼻息，一刻也安静不下来；因为主让马做了疾风的弟兄，狂飙的旅伴，注定了它要驮着男人去他想去的地方，女人渴望上哪里也驮她上那里。但是棕树林却是狮子的天下，它迈着威严的步子穿过沙漠，在那里统治着所有的动物，没有任何东西敢违抗它的意志。然而人，知道怎么驯服它；人是上帝的同类，为上帝和他的仆人服务的天使也与人一样地毕肖上帝，甚至野兽中最凶暴的狮子对人也怀着敬畏。不是吗，但以理在狮穴中毫不畏惧，始终坚定坦然，连猛狮凶狂的咆吼也不曾打断他虔诚的歌唱。"①

这一篇流露出自然纯真的激情的讲话，不时地得到男孩的优美的笛声的伴和；可是等父亲一讲完，孩子便放开纯净清亮的歌喉，委婉动人地唱起来，父亲则接过笛子和谐地进行伴奏。但听孩子唱道：

> 在这儿山坳里，我听见
> 狮穴中传来先知的歌声；
> 天使们在空中飞翔盘旋，
> 可为了安慰受惊的善良人？
> 雄狮、母狮去而复来，
> 终于偎在他的脚下；
> 啊，是温柔虔诚的歌唱，
> 感化了它们的性灵！

父亲用笛子反复吹着同一段曲调，母亲不时地插进来，唱起了第二声部。

可完全出乎意料因而给人留下强烈印象的是，小男孩唱着唱着就完全打乱各句的次序，虽说并未因此得到新的意义，却自然而然地增强了原诗包含的情感，越发激动人心：

> 天使们上下飞翔，
> 用歌唱给我们鼓励，
> 呵，这歌声何等神奇！
> 在狮穴中，在山坳里，
> 孩子可已感到恐惧？

---

① 关于先知但以理驯服猛狮的传说见《圣经·旧约·但以理书》。

这些温柔虔诚的歌声，
将驱走灾难和不幸；
天使们飞去飞来，
保佑他逢凶化吉。

随后三人一起引吭高歌：

有永生的主统驭尘寰，
有主的慧目照临大海；
雄狮一头头变成羔羊，
排空的怒浪平息下来；
猛劈的利剑滞留在空中，
信仰和希望充满人人心怀；
是仁爱创造了桩桩奇迹啊，
在祈祷的歌声里包含仁爱。

　　大伙儿全都静悄悄地倾听着，屏息凝神地倾听着，直到歌声完全消失，才回过神来，注意到了眼前发生的事情。所有人都似乎得到了安慰，都以各自的方式受了感化。侯爵仿佛这才看清自己刚刚差一点造的孽，不禁低下头去望着偎依在自己身旁的妻子；侯爵夫人则忍不住掏出绣花手帕来擦眼睛。在此以前不久，她那年轻的心胸还感到压抑，眼下却如释重负，极为舒畅。人丛中一派肃穆气氛，好像把所有的危险全给忘了，既忘了山下的大火，也忘了山上那头休息好以后还会爬起来的猛狮。
　　侯爵招手让下人把马牵过来，这一下人丛中才又恢复了活动；随后他转过脸去对那女人道：
　　"这么说你们相信通过你们的歌声，通过这孩子的歌声还有这支竖笛的吹奏，就能在碰见那头雄狮时将它驯服，使它在既不危害我们也不遭到伤害的情况下，重新回到笼子里去喽？"

那一家作了肯定的回答，并且一再保证说到做到。侯爵于是派古堡的看守给他们领路，自己则带着少数随从匆匆离去，其他随从陪着侯爵夫人慢慢跟在后边；那母子二人也在已经搞到一支枪的古堡看守的带领下，向山上走去。

在进入古堡的夹道的口子上，他们发现一伙猎人正在搭干柴堆，以便随时能够生起一堆大火来。

"用不着，"女人说，"没这一切也会万事大吉的。"

再往前走，他们又在一处墙头上看见了霍诺利奥。他怀抱双筒猎枪，以一种随时准备应付意外情况的姿态坐在那里，然而却似乎压根儿没注意到有人上山来，像是正在沉思默想，目光也心不在焉地游来游去。女人与他搭话，请求他不要点火，他似乎仍然爱理不理。她于是更加恳切地求他，高声道：

"英俊的年轻人呵，你杀死了我的老虎，我不诅咒你；别再伤害我的雄狮吧，好心的年轻人，我会给你祝福的。"

霍诺利奥的双眼直愣愣地望着红日开始沉下的远方。

"你在望着西边啊，"女人又高声说，"你这样做是对的，那儿可干的事多着哩；赶快去吧，不要耽搁，你会战胜一切困难的。不过首先你得战胜你自己。"

听到这儿，霍诺利奥似乎微微笑了；女人继续往山上爬去，爬着爬着仍忍不住扭过头来再次望一望留在身后的霍诺利奥；淡红色的夕照使他容光焕发，她相信自己从未见过更英俊的小伙子。

这时候古堡看守对她说：

"要是真如你们相信的，你的儿子能靠吹笛儿唱歌吸引住雄狮，使它安安静静，那么事情就好办了；因为这只大畜生躺的地方离那个破墙洞很近，由于大门给封住了，我们便是从这个洞进出的。小家伙要是能把它逗进去，我便可以轻而易举地把洞堵上，然后孩子只要好好记住我的话，循着他在墙角上看见的小悬梯往上走，就从那野物身边溜出来了。咱俩可以藏起来，不过我将找这样一个位置，以便我的枪弹随时能够给小家伙以帮助。"

"这些麻烦统统没必要，上帝和艺术，虔诚和幸运，一定会使事情圆满结束。"

"就算是吧，"看守回答，"可我也了解自己的职责。我先领你们从一道很难走的台阶爬到城墙上，直接去我刚才说的入口跟前；小家伙可以往下走，马上进入表演场，然后再把被驯服了的猛兽朝里边逗。"

事情就照他说的办。看守和母亲藏在墙头上，目睹着小男孩走下悬梯，踏进开阔的庭院，然后消失在了对面黑森森的墙洞中。可是不一会儿就响起他的笛声。这笛声逐渐变弱，最后终于完全消失了。时间一分一秒地真是够难熬的，那位饱经风险的老猎手在这罕有的情况面前也憋得受不了。他自言自语说，还不如由他去对付那危险的野兽哩；然而母亲却神色泰然地倾着身子聆听着，丝毫没表现出惊慌不安的样子。

终于又响起了笛声，男孩从墙洞中走出来，满意得两眼炯炯发光，雄狮跟在他的身后，但走得异常缓慢，好像行动有些吃力似的，走不多远又想躺下去的样子；可是男孩领着它绕了一个弧形，穿过已经落掉一些叶子但仍色彩斑斓的树林，一直走到通过废墟的缺口射进来的落日的残照中；在那儿，他才慢慢坐下去，像个仙人似的身披霞光，同时再次唱起了他那支能感化性灵的歌；这支歌，我们也不能不再重温一遍：

> 在这儿山坳里，我听见
> 狮穴中传来先知的歌声；
> 天使们在空中飞翔盘旋，
> 可为了安慰受惊的善良人？

雄狮、母狮去而复来，
终于偎在他的脚下；
啊，是温柔虔诚的歌唱，
感化了它们的性灵！

　　唱着唱着，那猛狮便紧挨着小男孩躺了下去，并把自己沉重的右前爪搭在他的怀里；男孩一边继续歌唱，一边温柔地抚摩它的爪子，可不一会儿他就发现，原来有一根锋利的大刺扎进了雄狮的脚掌中。男孩小心翼翼地把刺拔出来，微笑着从自己脖子上摘下一条花绸围巾，用它包扎好了那猛兽的巨爪，让在上面偷看的母亲高兴得伸出两臂，身子往后一倒，要不是看守的粗大手掌一把将她拽住，提醒她危险尚未过去，她没准儿就会按照老习惯喝起彩来，鼓起掌来的。

　　孩子在用小笛儿吹出一小段前奏以后，又嗓音嘹亮地唱道：

有永生的主统驭尘寰，
有主的慧目照临大海；
雄狮一头头变成羔羊，
排空的怒浪平息下来；
猛劈的利剑滞留在空中，
信仰和希望充满人人心怀；
是仁爱创造了桩桩奇迹啊，
在祈祷的歌声里包含仁爱。

　　雄狮，这凶残的野兽，这森林中的大王，这动物王国的暴君，如果说在它的脸上，人什么时候有可能感到一点和蔼亲切与满意感激的表情的话，那么就是眼下：小男孩满身灵气，看上去真像一位强大的无往不胜的征服者；那一个呢，虽说还不像已被征服，在它身上还潜藏着力量，但却跟被驯化了似的，如此和平，如此柔顺。孩子继续地吹着笛儿唱着歌，并且随性之所致，对词句进行颠倒和增添：

> 善良的小孩子们，
> 不让他们产生恶念，
> 帮助他们完成善行。
> 虔诚的意念和乐曲，
> 打动了林中的暴君，
> 它偎在主的爱子膝前，
> 永不离开这幼弱的人。

一对儿奇怪的小邻居

两个小邻居，一男一女，都出身大户人家，年龄也相当，很可能有朝一日结成一对儿好夫妻。两人在一块儿渐渐长大起来，双方的家长都为日后的结合而满心欢喜。谁知道，没过多久，做父母的便发现自己的希望看来要落空了，因为在两个可爱的小人儿之间，产生了某种特殊的敌意。也许是两人的天性太接近了吧。他俩都有着内向的性格，意志倔强而自信，各自都受着小伙伴的喜爱和尊敬。对待其他人，他们总是和和气气，温柔可爱；可只要两个碰到一块儿，就老成为对头，老互相捣蛋，互相竞争，说不出来是为了什么目的，却又老是这么争来斗去，因此谁对谁都没好气儿，恰似一对天生的冤家。

这种奇怪的关系，在做游戏时就已表现出来，随着年龄增加而越来越严重。记得有一回，孩子们玩打仗游戏，分成了敌对的双方，倔强勇敢的小姑娘当一方的首领，向另一方发起了猛烈无情的攻击，眼看另一方已给打得落花流水，狼狈逃窜，若不是她那小对头一个人奋力抵抗，反败为胜，最后解除了敌人武装，并使她成了俘虏的话。可就这样，她仍拼命挣扎，使他不得不解下自己的绸围巾来反缚住她的手，既保护自己的眼睛不被她抓着，也免得他的俘虏受到伤害。

　　然而，这却使小姑娘永远也不能原谅他，是的，她甚至作出各种努力，想要给他伤害。双方父母注意到了这种反常的情绪，便商量决定把两个小冤家分开，就此打消了那个美好的希望。

　　男孩到了一个新的环境里，立刻显得出类拔萃，门门功课都一学便会。根据保护人的意愿和他自身的爱好，他成了一名军人。无论去到哪儿，他都受到人们的喜爱与敬重。他那落落大方的风度，似乎使与他相处的人无不感到心情舒畅、愉快。离开了大自然安排给他的那个唯一的仇敌，他心里觉得非常幸福，虽说并不清楚知道原因在哪里。

　　小女孩却相反，对情况的改变颇觉突然。她年岁大了，受的教育也有所增长，内心里渐渐萌生出来某种新的情绪，过去常和一般男孩玩的那种激烈游戏也不再参加了。总之，她有一种怅然若失的感觉。在她的周围，似乎再没有任何东西值得她去仇视，更别提有什么人能使她觉得可爱了。

　　这当儿，来了一位年轻人，年龄比她过去那个邻居和对头稍长一些，颇有地位、钱财和权势，是社交场中的风头人物，女士们崇拜的偶像，可对她却一片痴情。有生以来，姑娘这是第一次受到一个男朋友，一个情人，一个奴仆的侍奉。年轻人撇开那许多年纪比她大、教养比她高、容貌更娇艳、要求也更多的女人而单单钟情于她，使她心中很得意。他对姑娘既一往情深，又不冒昧唐突。在她每次遇到这样那样的讨厌事儿时，他总是忠心耿耿、挺身相助。他虽已明白地向姑娘的父母提出求婚，却又只是满怀希望地安安静静等着，他说：姑娘还很年轻。——所有这一切，都使姑娘对他产生好感，加之习惯成自然，他与她经常待在一块儿，一来二去，他俩的结合便被大伙儿看成了心照不宣的事。别人常常称她为年轻人的未婚妻，她久而久之也觉得自己就是了。因此，等到后来她与这个早已被当成她未婚夫的人交换戒指时，她自己也好，其他人也好，谁都想不到对这件事还需要作什么考虑。

定婚后，事情也并未加快发展，双方仍一如既往，快快活活地相处在一起，以便在开始日后的严肃生活之前，尽情享受这春天一般的婚前的光阴。

这其间，在外乡的男孩已长成一位十分英俊的青年，并晋升到了一个荣耀的职位，目下也休假还乡，看望父母来了。他重新出现在自己美丽的邻女面前，态度泰然自若，却又有一些异样。最近一段时期，姑娘怀着一个做未婚妻的女子的喜悦和恬静心情，变得似乎与周围的一切都融洽无间了；她相信自己是幸福的，而在一定意义上讲也确实如此。可是这会儿呢，在过了很久以后她面前又出现这么一个人，这个人她曾经恨过，现在却再也恨不起来；而且，过去那孩子气的仇恨，原不过是对对方价值的暗中承认罢了，它如今已表现为重逢的惊喜，愉快的注视，友善的问候，以及相互间既情愿又不情愿的必然的接近。所有这些感情在双方同样存在。而长久的分别又促成长久的倾谈，就连儿时那些淘气的事儿，如今也已成了愉快的回忆。如今，他俩似乎都感到有必要友好相处，殷勤相待，以抵消昔日的彼此仇恨；有必要相互表示倾慕，以代替过去的敌意。

在男孩方面，一切尚还理智而有分寸。他的地位，他的处境，他的抱负，他的自尊心，这一切都时时提醒他，让他只以一种欣慰的心情，去接受别人美丽未婚妻的友谊，把这友谊只看成一种值得感谢的馈赠，而不因此存任何把自己牵连进去的非分之想，也不对姑娘有了未婚夫表示惋惜，何况他和她的未婚夫还相处得非常融洽哩。

说到姑娘方面，情况就完全不同了。她恍如大梦初醒。当初，她跟自己的小邻居作对，正是自己初衷的流露；就说那些激烈的争斗吧，也不过是以对抗形式出现的、同样激烈的倾慕之情而已。细细回忆起来，她只能承认自己从来就是爱他的。想到自

己手执武器四处搜寻他的那副神气，她微笑了；回味着自己被他
解除武装时的感受，她心里不无快意；她想象着，在他把她的手
反缚起来的当儿，她是何等地幸福啊；在她现在看来，她当初想
伤害他和令他难堪的一切举动，都不过是要引起他注意自己的稚
气手段罢啦。如今，她惋惜他俩的分离，她恼恨自己的懵懂，她
诅咒那使人如在梦中一般失却自主能力的习惯；由于这种习惯，
她才会有那么一个不足道的未婚夫啊。她变了，在双重意义上变
了，既向前变得成熟，又向后变成了过去的她，谁爱怎么看都
可以。

　　谁要是能洞悉和体验她这些讳莫如深的感情，他是绝不会责
怪她的；要知道，她那未婚夫只要和她这邻居站在一起，就自然
而然地相形见绌了呵。如果说，前者也还能引起你某种好感的
话，后者就会使你一见倾心；如果说，你愿意前者做你朋友的
话，你就希望后者成为你的伴侣；设若出现意外不幸，需要他们
为你作出牺牲，那么，你对前者可能还有所怀疑，对后者却可以
一百个放心。妇女们判别这类的差异，天生有一种特殊的禀赋，
而且，她们也确有必要和机会，去锻炼这种禀赋。

　　美丽的未婚妻一直暗暗进行着这种种考虑，加之又没有人为
她未婚夫说几句好话，开导开导她，劝她遵守礼法，履行职责，
没有人对她讲，生米已经煮成熟饭，想挽回是挽回不了的，她那
一颗美丽的心便越加偏激起来。在她这方面，深感自己受到了社
会、家庭、未婚夫以及自己诺言的束缚；那个积极上进的青年，
则坦然地把自己的想法、计划、抱负都告诉她，待她恰如一位真
诚的兄长，连亲切也说不上。这当儿，他已提到即将动身离开的
事，姑娘小时候的倔脾气似乎一下子便发作起来，而且来得更乖
张，更狂暴，因此也更危险，更可怕，好像是她人长了脾气也长
了似的。她决心一死了之，以惩罚这个从前她恨过、如今又热恋
着的人，惩罚他的无动于衷；即便自己占有不了他，她也要与他

的惆怅悔恨相伴终身，让他永远忘不掉她死时的情景，永远感到内疚，当初竟没有了解她的心思，洞悉她的心思，并且珍视它们。

这样一个狂乱的念头，到处追逐着她。她千方百计地掩饰着，虽然也有人发觉她显得异常，却没有谁细心而且聪明，能够揭示出她心中的真正原因。

在那段时间，亲戚朋友们都正为欢度几个节日而忙得不亦乐乎，差不多没有一天不安排异想天开的新奇娱乐。周围一带地方都装饰起来，准备迎候快乐的宾客。我们年轻的游子，也想在离家前请一次客，便邀请年轻的未婚夫妇和不多的几个自家人一起，去做一次水上旅行。众人登上一艘打扮得漂漂亮亮的大游船，船上有一个小客厅和几间舱房，舒适方便真可与陆上相比。

在一片悠扬乐声中，游船顺流驶去。由于中午天热，大伙儿都退进舱房，在房里以猜谜和斗牌自娱。年轻的主人却闲不住，便去代替老船家把舵。不多一会儿，老船家已在他旁边进入了梦乡。恰巧这时，船行到了一处地方：两座小岛使河面变得很窄，平缓的卵石滩又不规则地突出在叫江心，水势险急，舵手必须十分小心才行。青年聚精会神，两眼直视前方，有几次已打算唤醒船家，但到底还是鼓起勇气，向峡口驶去。正好这当儿，他美丽的女友发间带着一个花环，出现在了船面上。她取下花环，抛给把舵青年。

"留下作个纪念吧！"她喊道。

"快别打扰我！"青年回答，却也接住了花环，"我必须全神贯注，把所有力气都使上啊。"

"我不会再来打扰你啦！"说毕，姑娘便快步走向船头，纵身跳入水中。

"救人啊！救人啊！她跳水了！"几个人同时叫起来。

青年左右为难。喊声惊醒了船家，他准备去接青年手中的舵。可这会儿哪是换舵手的时候，结果船搁浅了。青年急忙扔掉碍事的衣服，一头栽进江中，追着他美丽的女友游去。

水这种元素，对于熟悉和掌握它的习性的人来说，是非常温和的。它托负着你，听凭你的摆布。不一会儿，青年便游到了已冲得老远的美女身边，抓住她，把她托出了水面。急流将两人猛地向前冲去，把小岛和搁浅的人远远丢在了后边。到了河面又开阔起来的地方，水流也变得平缓了。至此，青年才控制住自己，从慌乱中镇定下来，不再是机械地、无意识地行动。他抬头环顾四周，然后便拼命滑动手臂，向一处长着小树丛的平坦幽静的河岸游去。到了岸边，他把美人儿抱上去；她可是一点儿生气也没有了啊。在绝望之际，他眼前一亮，发现有一条小径穿过树丛。他又抱起那高贵的躯体来，顺路走去，很快便看见了一所孤零零的小屋。到了屋前，他找着两个好心的人，一对年轻夫妇。他们遭到的不幸和眼下的困境，不说就已清楚。所以他想怎么要求，人家便都有求必应。生起了火堆，床上铺了垫褥，皮袄、毛毯和一切保暖的东西，统统搬了出来。因为救人心切，一切其他的考虑，全被置之度外。凡能使用的方法无不用上了，以使那几乎冻僵了的裸露着的美丽躯体复苏转来。成功了！她睁开眼睛，一见自己的情人，便伸出仙女般的手臂来搂住他的脖子。她久久地搂着他，泪水从眼眶里簌簌落下，完全清醒过来了。

"我又找到了你，可你还离开我吗?"她大声问。

"不，永不离开!"他响亮地回答，"永不离开!"可他并不清楚自己在说什么和做什么。"好好保重吧!"他继续说，"好好保重，为了你自己，也为了我!"

这一讲，她才想到了自己，发觉她目前的狼狈处境。在自己的心上人和救命星面前，她不用害羞；但尽管如此，她还是打发他离开，以便他也去关照关照自己，他到这时周身的衣服还是湿淋淋的哩。

年轻夫妇商量了几句，便把自己原样挂着的结婚服装取了下来，丈夫的借给青年，妻子的借给美人，让他俩从头到脚、里里外外穿戴一新。不一会儿工夫，两位脱险者便穿戴齐楚，而且打扮好了。他们再聚到一块儿时，容貌都更加动人，不禁相互呆视着，为对方变成了现在的模样而微微一笑，便热烈地紧紧拥抱。片刻，他们已充分恢复了青春的活力和爱情的欢愉，只可惜没有音乐，不然他俩真要跳起舞来了。

从水中回到陆地上，从死神手里回到生活的怀抱中，从家庭的圈子来得野外，从绝望变为欣喜，从冷漠变成倾慕、热恋——这一切一切，都发生在转瞬之间，突然一下塞进他们的脑子，使脑子几乎炸开，或者说，他们完全地晕头转向了。要承受如此突如其来的巨变，就只能求助于健全的心灵。

两人完全沉湎在相互的爱慕之中。过了好半天才想起留在船上的人，想到他们会是怎样地担惊受怕，同时也想到还要和他们见面，心中不免顾虑重重。

"我们该逃走呢，还是藏起来呢？"青年问。

"咱们就一块儿待着。"姑娘搂着他脖子说。

农民听他们讲了船搁浅的情况后，也没多问，便跑到岸边去了。幸好船已经开得动了，虽然大伙儿花了老大力气，才把它从滩上拉下水来。船上的人盲目地往前行驶，希望找到落水者。农民朝他们又是叫，又是招手，并且先跑到了一个适合停船的地方，终于引起了他们的注意，便将船驶了过来。大伙儿一上岸，接下去便出现了精彩场面！男女双方的父母争先恐后奔过去，那位一心爱着姑娘的未婚夫差点儿神经没失常。农民正在讲，他们心爱的孩子还活着，穿着一身奇特的服装。一直等他俩走到跟前，大伙儿才认出他们来。

"我说这是谁呀？"母亲们惊呼。

"这么回事？怎么回事？"两位父亲喊着。

两个死里逃生者双双跪到他们面前。

"你们的孩子！一对爱人！"他俩同声回答。

"原谅我们！"姑娘高声请求。

"给我们祝福吧！"青年喊道。

"给我们祝福吧！"两人又一起喊，因为在场的所有人都吃惊得发不出一点声音。

"祝福我们啊！"两人第三次恳求。在这种情况下，谁又能拒绝他们呢？

诱　惑

　　从前，在意大利的一座滨海城市里有一位商人。这商人不仅从青年时代起就非常勤谨，非常聪明，而且还是一名优秀的航海家。他经常亲自领着船只前往亚历山大城①，在那里收购和换取各种珍奇货物，运回故乡出卖，要不就发售到北欧各地去，以此赚得了大量的钱财。这样往返奔波，他得到了极大的快乐，从来也不曾花时间去进行那类靡费金钱的消遣。如此年复一年，他的财产便有增无已，越积越多。

　　他这么兢兢业业地一直干到了五十岁，对于安静的市民们用以调剂生活的种种娱乐所知甚少，就连那异型的美丽也引不起他的注意，虽然他的女同胞们都是颇有魅力的；只有她们对于首饰和珠宝的贪欲，他倒十分了解，一有机会便投其所好，从中牟利。

　　因此，他自己也万万想不到，后来有一天，他的心境竟然起了变化。

　　那一天，他驾着满载货物的船只驶进故乡的港口，正碰上城里的青年们在过一年一度的狂欢节。在例行的祭礼过去以后，少

_____

　　①　埃及港口城市。

男少女们便花花绿绿地穿戴打扮起来，有的参加节日游行，有的成群地在街头嬉戏，到后来全都集合在郊外的一处大广场上，或进行各种游乐，或表演杂耍技艺，并且互相认认真真地进行比赛，以夺取小小的奖品。

一开始，我们的航海家还看得兴致勃勃。他看见青年们一个个生趣盎然，做父母的也因此不胜欣喜；他发现人人都及时行乐，心头各怀着美好的希望。看着看着，他不由得想到了自己，一下子感到自己的处境是那样孤独。回到家，空空的住宅第一次令他害怕起来，他于是自怨自艾开了：

"我这个不幸的人啊！我怎么时至今日才睁开了眼睛？我怎么到了这么大年纪，才看出什么是唯一能使人变得幸福的财富？多少次的奔波！多少次的冒险！可它们又带给了我什么呢？尽管我屋子里货物堆积如山，箱笼里充斥着金银，橱柜里装满了珠宝首饰，但这些财富全都不能使我心中快活、满足。好像我把它们积得越多，它们就越渴望有更多的伙伴，一颗宝石渴望着另一颗宝石，一枚金币渴望着另一枚金币。——它们不把我当作主人，它们对我发出粗野的叫喊：快去！快去找回更多的我们的同类来！黄金只喜欢黄金，宝石只喜欢宝石！它们就这样驱使着我，使我奔波劳碌了一辈子。事到如今，我才感到自己从这一切中，并未获得任何享受。可叹的是，我已上了年纪才开始思考并且明白过来：我现在未能享受这些财富，我身后也没有人再享受它们了！你可曾用它们打扮自己的爱妻？你可曾用它们陪嫁过自己的闺女？你可曾借以使自己的儿子赢得并巩固某一位美人的爱情？没有，从来没有！对你所有的这些财富，你自己和你家人都从来不曾真正占有过；只要你一死去，你辛辛苦苦聚敛起来的一切，就将供他人随意挥霍了。

"可那些幸福的父母亲们，他们的境况和我又是怎样不同啊！今晚他们将让子女们围坐桌旁，夸奖他们的机灵，勉励他们奋发向上。从他们眼里，将闪射出欣喜的光芒；从他们现在的生活中，将滋生出未来的希望！可是你自己，难道就应该完全绝望了么？难道你已经是一个衰朽老翁了么？亡羊补牢，犹未为晚；认识了过去的错失，不就可以补救了吗？是的，在你这种年龄，考虑结婚还不算愚蠢；你可以凭自己的财富讨个好妻子，并且使她幸福，要是还能生儿育女，那么这晚熟的果实便会带给你莫大的快乐，而不像那种过早地由上天赐给的子女，只能成为父母的烦恼和重负。"

他如此自言自语着，便拿定了主意，立刻召来船上的两名伙计，把自己的想法告诉了他们。他们久已习惯于对主人唯命是从，便急忙去到城里，寻找起时下最年轻、最美丽的女子来。既然东家目前急需要这种货物，那就该让他获得其中最上等的才是。

商人自己也跟派出去的伙计一样没有闲着。他四处探寻，八方打听，很快便找到了一位理想的女子，眼下全城最美的美人，约莫十六岁光景，文雅而有教养，性情温柔，容貌动人。

经过短短几次交涉，美人便动了心，相信嫁这个丈夫不论在他生前或是死后都是有利的。然后，就大肆铺张地、热热闹闹地举行了婚礼。打这一天起，我们的商人才第一次感到真正占有和享受了自己的财富。他满怀着喜悦，用最华贵的衣料去穿戴那美丽的躯体。在他爱妻胸前和发间，一颗颗宝石交相辉映，那光彩远非一度藏在匣子里时可比。还有那些钻石戒指，从戴着它们的纤纤玉手上更是获得了无穷的价值。

这样，商人不仅感到自己仍然是富有的，而且比以前更富有了，原因是他的财富如今有了人来分享和使用。夫妻俩如此心满意足地过了差不多有一年，商人仿佛已一改往日劳碌奔波的癖性，习惯了家居生活的安适宁谧。然而实际情况是：江山易改，禀性难移；我们早年开始走的道路，就算可以暂时离开，但要完全中断却是永远不可能的。

我们的商人就是这样。他常常看见别的人扬帆出海，或者幸福地返回港口，不免又旧性复发，十分激动。是的，有时甚至在家里和妻子身旁，他也心神不宁，若有所失。这种心情一天比一天强烈，渐渐变成为一股如饥似渴的欲望，使他深深地感到不幸，最后竟病倒了。

"这下你该怎么办呢？"他问自己，"这下你该已明白，一个人到了晚年还来改变旧有的生活方式，是多么愚蠢了吧。我们怎么可能把一直从事的事业，追求的理想，一下子从自己的头脑里甚至四肢里驱赶出去呢？我曾经像鱼一样爱水，像飞鸟一样爱天空；而今，我把自己关在一所装满珍宝的住宅里，关在一个年轻美貌的女子身边，又落得了怎样的下场呢？我原希望这样就能获得满足，能享受自己的财富；看来我反倒失去了一切，因为不能再创造新的财富。人们把那些孜孜不倦地聚敛财富的人当成傻瓜，其实是错误的；因为对于一个从不断地追求中体验到欢乐的人，创造本身就是一种幸福，他所创造的财富却没有意义。由于无所事事，我变得郁郁寡欢；由于缺少活动，我病倒了。我若不改弦易辙，死期也就近啦。

"诚然，要离开一位年轻可爱的妻子，是一件冒险的事。难道讨了这么个既迷人但也容易被人迷的少女，马上就让她独守空房，受寂寞惆怅之苦，这是公平的么？再说那些纨绔子弟，不是已经在我窗下转来转去了吗？在教堂和公园里，他们不是已经极力在吸引我娇妻的注意了吗？我这一走，家里会出什么事？难道我能相信，我的妻子会因为出现奇迹而得救吗？不，以她的年华，以她的姿色，只有傻瓜才会希望她能弃绝爱情的欢乐。你这一走，在回来时便会发现，你不只失去了你妻子的爱情，失去了她对你的忠诚，也失去了与此相连系的家庭的荣誉。"

他这么左思右想、前后狐疑地自寻烦恼，健康状况便恶化到了极点。他的妻子和亲友全都为他担心，但谁也找不出病根在哪里。后来有一天，他又自顾自地盘算起来，经过好一番考虑以后，终于失声喊道：

"你这个傻瓜哟！你为守住一个女子吃尽了苦头。要知道再这么拖下去，你很快就会一命呜呼，到那时还不是得把她留给别人吗？只要你能保住性命，就算冒着失去她身上被人当作妇女至宝的东西的危险吧，不也是更聪明、更好么？再说还有多少丈夫寸步不离家门，仍免不了失去这一财富，而在失去之后，又安之若素呢。你未必就没有勇气放弃这一财富，以挽救自己的生命么？"

他一边说着，一边就鼓起勇气，立刻派人叫来了船上的伙计。他吩咐他们，像往常一样把船装好货，并且准备停当一切，一遇顺风就出海去。吩咐完毕，他再转过来对妻子作了如下的解释：

"当你发现家中人来人往，断定我准备出门去时，你不用吃惊！当我告诉你说，我又要出门远航了，你不要难过！我对你的爱情仍一如既往，而且将终生不渝。我深知至今在你身边享受的幸福的可贵；但是，如果我能不像现在这样因为游手好闲、无所作为而自苦自责的话，那它的价值对我来说就更高了。我旧日的欲望已经复苏，过去的事业又吸引着我。允许我再去看一看亚历山大城的市场吧，我如今会带着更大的热情奔向它，因为我想到，我将为你从那里买回最华贵的衣料，最珍奇的珠宝。我把家中全部房屋财产都交付你，你可以任意支配它们，和你的父母亲友一起尽情享受！离别的日子也会过去的。重逢时我们将获得更多的欢乐。"

听到这里，可爱的妻子流下泪来，婉转而温柔地责备着丈夫，要丈夫相信，他不在家她一刻也不会快乐；但她自知留他不住，并且也不想限制他的自由，就只好求他，让他哪怕远在他乡，也要时时惦记着自己的爱妻。

接下去，他又向妻子交代一些有关营业和家务方面的事，然后停了一停，说：

"我现在心里还有几句话，你让我直说了吧。我只是最诚恳地请求你，别误解我的意思；相反我倒希望，你能从我的忧虑中看出我对你的爱。"

"我猜得出你要说什么，"美人回答说，"你是不放心我，你也像所有男人一样，认为我们妇女都是软弱的。你看见我年纪轻轻，快快活活，就以为我在你走后会变得轻佻和易受诱惑。我不责备你有这种想法，因为这在你们男人是司空见惯的；不过，我自己了解自己的心，所以可以向你保证，没有任何东西能轻易对我产生影响，没有任何影响能打动我的心，使我离开迄今所遵循的爱情与责任的正道而误入歧途。放心吧，在你返回家园之日，你会发现你的妻仍是那样温柔而忠诚，就跟你平日外出，傍晚又回到她的怀抱里时一样。"

"我相信你有这样的思想，"丈夫说，"我希望你始终保持下去。不过，也让我们设想一下最坏的情况；我们为什么不可以未雨绸缪呢？你知道，你美丽动人的身段，多么地吸引我们那些青年同胞的注意。我不在的时候，他们会加紧来纠缠你，千方百计与你接近，获取你的欢心。你丈夫的画像，不能如他在你跟前的存在那样，永远把他们从你的门前和心中驱走。你诚然是个高尚善良的女子，但人的天生的欲望却是合理而强有力的，它们不断地跟我们的理性斗争着，而且通常总是获得了胜利。别打断我！当我不在的时候，即使你依照本分仍然经常想着我，你还是会感到那种妇女想吸引男子、同时也被男子吸引的欲望。在一段时间里，我将是这种渴慕的对象。可是以后，谁知又会碰上怎样的情况，出现怎样的机遇，竟使另一个人在事实上得到你在想象中原打算给我的一切呢。别不耐烦，我请求你，听我把话讲完吧！

"要真出现那样的情况——你否认这种可能，而我也不希望使它更快成为现实——即是说，你没有一个男子做伴就过不下去，再也不能缺少爱情的欢乐了，那么，我就只要你答应我，绝不选择那些轻浮少年中的任何一个来代替我；他们尽管样子文质彬彬，实际上对别人家庭的荣誉，比对别人妻子的贞操更危险。他们见妇女就追，与其说是出自情欲，还不如说是出自虚荣，因此自然地为了追求这个便丢掉那个。要是将来你感到需要找个朋友了，那就要找一个配得上这个称呼的人，找一个谦逊诚实、沉默寡言的人，这样才能严守秘密，使爱情的欢乐更加不同寻常。"

听到这里，美丽的妻子再也忍不住悲痛，一直强噙住的眼泪便滚滚流了下来。

"不管你怎么想我，"她在热烈地拥抱过丈夫以后高声说，"我也绝不会犯这个你几乎认为我不可避免地要犯的罪行。就算我什么时候这样想一想，那也让大地裂开来把我吞掉，让我失去继续过我们美好生活的一切希望。打消你胸中的疑虑吧，让我始终保持一个纯洁的希望，希望着你不久又回到我的怀抱中。"

在对妻子进行了百般抚慰之后，商人第二天一早便上了船，随后一路顺风，很快抵达了亚历山大港。

这其间，他妻子掌管着巨大的家财，过着安静、舒适而愉快的生活。不过，她离群索居，除去父母与亲戚之外就不见任何人。她丈夫的商号自有一班忠心的伙计经营；她本人住着一所巨大的邸宅，每日里都怀着欣慰的心情，在那些富丽堂皇的居室中想念自己的丈夫。

然而，不管她怎样自甘寂寞，深居简出，城里的那帮年轻人也不肯罢休。他们抓住一切机会，不断地在她窗前过来过去，晚上更是又弹又唱，以图引起她的注意。一开始，寂寞的美人对他们这么搞十分讨厌；可没过多久，也就习以为常，有时甚至以听这些小夜曲作为自己漫漫长夜的消遣，全不问是些什么人在那里弹唱。有几次，她听着听着，便思念起远在他乡的亲人来，不禁发出了一声声的喟叹。

她原本希望，她的这些不相识的倾慕者会渐渐感到厌倦；哪知他们却越来劲头越足，大有不达目的绝不罢休之势。而今，她已分辨得出那些反复送来的不同乐器和不同歌喉的声音，分辨得出不同的曲调。又过了一些时候，她便再也止不住好奇心，想去弄清楚那些不相识的倾慕者究竟是些什么人，以及他们中哪几个最有恒心了。为了消磨光阴，她这样做倒也不是不可。

自此以后，她便常常透过窗帷和半掩着的百叶窗向街上张望，留心着过往的行人，以找出那些久久地盯着她窗口的男子来。他们大多是些模样体面、衣着华丽的青年，虽然举止风度中都流露出不少轻浮与虚夸之处。看他们那神气，与其说是真要表露自己对美人的倾慕，还不如说是想通过对她的卧室的注视，来突出和显示自己。

"可不是，我的丈夫真叫有先见之明呐！"她不止一次地自我解嘲说，"他给我定下的选择情人的条件，就把这班来追求我以及可能博得我欢心的人，全部排除在外了。他非常清楚，聪明、谦逊、缄默，这全是安静的老年的美德，虽然也能得到我们理性的尊重，却绝对激发不起我们的幻想和热情。这一来，那些个成天围着我屋子转的青年，对我就毫无威胁，因为他们得不到我的信赖；而另一方面，那些我可以信赖的人，又会使我觉得是一点也不可爱的。"

在这种安全感支配下，她便越来越沉溺于欣赏小夜曲，观察那些来来往往的翩翩少年。不知不觉，久而久之，她心中便生出了一种强烈的欲望，等到她想要抗拒却已为时过晚了。寂寞孤单，无所事事，生活安适而优裕，必然地滋生出不可克制的情欲，其速度之快超出了这位善良女子的想象。

如今，她在自己丈夫的众多优点中，对他如此通达人情世故，特别了解妇女的心思这一点，格外感到钦佩，同时也暗暗叹息。

"看起来，他说的那种我坚决否认的情况，确实是可能的了。"她对自己说。

"所以，他劝我在出现此种情况时行事要谨慎聪明，就非多此一举。然而，我眼下连一个相思的对象也没有，只好听任无情的造化的摆布，这谨慎聪明又有何用！对于那些我不了解的人，我怎么可能进行挑选？反过来，在我熟识的人中，又哪里还有挑选的余地？"

如此冥思苦想、愁肠百结，美人本已不佳的心境便一天坏似一天。她怎么也无法使自己得到排遣：任何快乐的事，都会触动她的感情，使她在深沉的孤寂中，想象出她所向往的种种欢乐情景。

后来有一天，她就带着这样的心境，听亲戚们讲城里的新闻。当他们提到一位新近从波伦亚①学成归来的青年法学家时，一个个都赞不绝口，说他不仅学问精深，而且少年老成，聪明练达，加之一表人才，待人也十分谦逊。作为律师，他很快便赢得了市民的信任，法官的敬重。他每天出入市政厅，料理他的事务，履行他的职责。

听人讲着一位如此完美的男子，美人不由得起了与他相识的念头，并且暗自希望，这个青年就是她即使按丈夫规定的条件，也可以以心相许的人。因此，在她知道了这个人每天都要从她家门前经过以后，便十分留意起来。她细心地观察着，弄清楚了市政厅通常开会的时间。终于，她看见青年走过来了，心里头颇为激动。然而，他的年轻貌美如果说对妇人有足够的魅力的话，那么从另一方面看，他的老成谦逊却又令她担心。

①　意大利城市。

她偷偷地观察了好些天，最后再也抑制不住想使青年注意自己的欲望。她精心打扮起来，去到了阳台上。一见青年走来，心就怦怦直跳。谁料她得到的只是懊恼与羞惭，因为青年一如往常地自己走自己的路，端庄稳重，低眉顺眼，根本没有注意到她的存在。

她一连同样试了许多天，没有用，他还是没有注意到她。他永远迈着同样的步子，低着脑袋，目不斜视。而她呢，越是注意瞧他，越觉得他正是自己的意中人。这样一天天下去，她对青年的思慕就越来越热烈，最后竟到了忍无可忍的程度。

"怎么办？"她问自己。

"你高贵明智的丈夫预见到了他不在时你将面临的处境，说你没有朋友和情人在身边会过不下去；如今他这预言应验了，而命运又让你认识了一位青年，一位完全符合你的心愿、也完全符合你丈夫心愿的青年，你可以与他共享爱情的欢乐，而不必担心秘密会泄露出去。在这种情况下，你难道还有必要自己苦恼自己，自己折磨自己么？只有蠢人，才会坐失良机！只有蠢人，才试图抗拒爱情的伟力！"

美人极力以类似的想法坚定自己的决心。不过，她犹豫摇摆的时间并不长。终于，如我们常见到的一样，那种长期被抑制着的激情爆发开来，战胜了她，开扩了她的心胸，使她把诸如疑虑、担忧、矜持、羞怯、礼法、职责，等等，都当成不足道的障碍加以藐视，最后断然决定，派一名侍女去找她的心上人，决心不惜付出任何代价，也要占有他。

侍女匆匆去了。她找到青年律师，发现他正和许多朋友一起坐在宴席上，便立即像主妇事先教的那样向他致意。对此，青年律师并无惊讶表示；他自幼认识我们的商人，知道他目前出门在外，对他结婚的情况也已有所风闻，便猜想定是丈夫不在，留在家中的妻子有什么法律上的事对付不了，需要他的帮助。他因此满口答应送信的侍女，一等散席就去见她的主妇，保证不会有所延误。美女听说马上就可以见到心上人，和心上人交谈，真有说不出的高兴。她急忙穿上最漂亮的衣裙，把屋里屋外打扫得干干净净，还给路上撒了橙子叶和花瓣。沙发也换上了最雅致的帔衣。青年来到前的短暂时刻，便如此在忙乱中过去了；不然，真会长得令她受不了呐。

青年终于到了，她迎上前去，心里激动万分。她心醉神迷，坐到自己的卧榻上，同时请青年也在她身边的矮凳上坐下来。眼下，这日思夜想的人来到了身旁，她倒相对无言了；在此以前，她从未想过要向他讲些什么。他呢，也安安静静地坐在她面前，态度十分谦逊。终于，她鼓足勇气，局促不安地开了口：

"您回故乡还不久吧，先生？可您已是一位本城人人皆知的有才华和堪信赖的人。我现在也信任您，准备把一件既重要又特别的事对您讲；虽然认真想来，这不是一件应该告诉律师、而是应该向神父忏悔的事。一年前，我嫁了一位高贵而富有的丈夫。在我们共同生活的日子里，他对我百般眷顾，我应该说毫无怨言，设若他不是克制不住自己那航海经商的愿望，前些日子丢下我走了的话。

"我丈夫是一个通情达理的人，显然也感到这样做对不起我。他明白，妻子年纪轻轻，是不能像珍珠宝石一般收藏起来的；他知道，她更像一座结满果实的花园，如果他一意孤行，硬是成年累月地把园门关起来，那么园里的果子不但任何别的人得不着，他这个主人也同样得不着。所以，在动身前，他郑重其事地和我谈话，要我相信，我没有情人是过不下去的，因此不仅允许我，而且恳求我答应，我在将来心里出现情欲时一定听其自然，怎么想就怎么做。"

她停了片刻，但年轻人意味深长的目光给了她足够的勇气，她马上又讲了下去。

"对于自己如此宽宏大量的许诺，我丈夫只提了一个附加条件。他建议我谨慎行事，要找就找一个稳重可靠、聪明沉默的情人。以下的话，您就别让我再讲了吧，先生；别再让我心慌意乱地向您表白，我是如何对您倾心；从我方才对您吐露的真情中，去猜我对您的希望与要求吧。"

可爱的青年沉吟了半晌，然后说：

"为您对我的信任，我真是万分感激，深感荣幸！我只是殷切地希望能使您相信，您没有找错人。首先，让我以法学家的身份来回答您吧。作为法学家，我要向您承认，我很钦佩您的丈夫，他十分清楚地感觉和认识到了自己的不是。显然，这样一个为了远游就丢下自己年轻妻子的人，在我看来，就跟一个完全置自己的财物于不顾、因而也就放弃了所有权的人一样。弃置在野外的财物，谁见了都可以捡回家去；处于同样情况的一位年轻妻子，想为自己的感情另找寄托，对一个她看来诚实可靠的人表示爱慕，那就是天经地义、合情合理的了。

"加之，现在的情况是丈夫意识到自己理屈，已明明白白、干干脆脆地答应了妻子，允许她做他本来也无法禁止的事，这一来，就更不成问题了，因为他既是心甘情愿，她便没有什么对不起他。

"至于我自己嘛，"青年律师拉住美人的手，眉飞色舞，喜不自胜地继续说，"被您选作您的仆人，使我体验到了从未经历过的幸福。请您相信，"他一边吻美人的手，一边高声说，"您找到的是一个最忠心耿耿、最俯首帖耳、最稳重沉默的仆人。"

听了这一番表白，美人的心完全放下了。她不再羞羞答答，对年轻人表示起最热烈的温存来。她握住他的手，偎依着他，头靠在他肩上。他们这么待了一会儿，青年便温柔地把她推开，样子闷闷不乐地开始说：

"还有谁的处境会比我更难堪吗？眼看就可沉醉在最甜蜜的

感情中，我却不得不狠下心来和您分手。命运不允许我立刻享受在您怀抱中所能得到的幸福啊！唉！但愿这一推迟，不致使我永远失去我的最美好的希望！"

美人大惊失色，忙问青年何以说出这样奇怪的话来。

"那是在波伦亚城，"青年回答说，"正当临毕业前我为胜任将来的工作而拼命用功的时候，我生了一场大病。这场病十分危险，它即使要不了我的性命，也会弄得我身心交瘁、一蹶不振的。在极度的苦恼和剧烈疼痛中，我向圣母玛利亚许了愿，要是她保佑我恢复了健康，我就将严格地斋戒一年，在这一年里放弃一切享受，声色犬马都一概不沾。到今天我已忠实地还了十个月的愿；就我所得到的恩典而言，这十个月绝对不能说长，因为我并未感觉十分困难，便抛掉了种种习惯和享受。然而，这剩下的两个月，对我却将是怎样地漫无止境啊！只有熬过这两个月，我才能得到那至高无上的幸福。可是，您可千万别嫌长，千万别收回您如此心甘情愿地赐予我的恩惠呀！"

这番说明颇不称美人的心意。青年律师考虑了片刻，又讲了以下的话，才使她转忧为喜。只听青年道：

"我几乎没有勇气向您提出建议，指点您一个可以使我早日解除誓约的办法。那就是，如果我能找着一个和我同样恪守誓约的人，分担所剩下的时间的一半，这样，我就可以提早一个月获得解脱，我俩也就得遂心愿了。为了加快咱们幸福的来临，我想，我亲爱的女友呵，您不会不愿意帮着扫除挡在我们面前的一部分障碍吧？只有最亲密可靠的人，我才能把这事托付给他。要做到很不容易呐，因为我每天只允许享用两次水和面包，夜里只能在硬板床上睡几小时，不管事务多繁忙都必须做几次祷告。就连今天，我不得已而出席宴会，也不能因此开斋，而是努力地抗拒一道一道摆在我眼前的美馔佳肴的诱惑，这情形就更加难受。要是您也有决心把所有这些规定遵守一个月，那您将来就会怀着更大的快乐来拥抱您的情人，因为在一定意义上讲，他就是您以值得嘉许的行动所争取得来的了。"

听到要满足自己的欲望必须克服的障碍，美人心头很不高兴。不过，青年律师来到她面前以后，她对他的爱慕更是大大增加，只要能保证得到他，对美人来说就没有任何考验是太苛刻了。她于是高高兴兴地说：

"我亲爱的朋友，那个使您恢复了健康的奇迹，于我也同样是可宝贵和可尊重的。我将把与您一道还愿这件事，既当成自己的快乐，也当成自己的责任。我很高兴的是，能以此证明我对您的爱慕。我将谨守您的规定，在您宣告我解脱之前，什么也不能使我擅离您带我走上的这条道路。"

接下来，青年又仔仔细细向她交代了必须遵守的条件，答应很快再来看她，了解她遵守诺言的情况，然后便离开了她。临行，青年既未和她握手，也没有吻她，眼睛里几乎毫无表情，她也只好让他去了。幸而，她那奇特的承诺使她有事可做，可以试着彻底改变自己的生活。首先，把屋子里的美丽树叶和花瓣扫了出去；然后，把她那软绵绵的卧榻换成了硬板床。第二天，她又忙着剪裁和缝制答应施舍给贫民院的相当多的衣服。她手头做着这第一次做的困难活计，脑子里不断想象着情人的面影和未来的幸福情景，这样才未曾感到寂寞难过。而且，就凭着这种想象，她那简单的伙食似乎反倒增强了她内心的力量。

一个礼拜过去了。周末，她的情人又来看她，为她鼓劲打气。这时，她两颊的红润已开始消退，本来很合身的衣裙也变得宽松，平素敏捷灵便的手脚都软弱无力了。青年鼓励她坚持下去，并且现身说法，还让她远远窥见那可望得到的未来的巨大欢乐。他只待了不多一会儿，答应不久后再来。

为穷人做的好事又加紧进行起来，严格的斋戒也绝无懈怠。可是，唉！我们的美人已精疲力竭，虚弱得比害过一场大病还要厉害。她的朋友周末又上她家来，满怀同情地望着她，提醒她说，考验的时间已经过去一半了，要她坚定信心。

打那以后，她一天比一天更受不了这无法习惯的斋戒、祈祷和做活计；过分清苦的生活，看来把她那养尊处优的身体完全给拖垮了。到后来，美人已经站立不稳，大暖天也必须穿比别人多一倍至两倍的衣服，才能勉强保持几乎完全消失了的体温。是啊，她甚至连坐也坐不住了，一些天来已被迫躺在床上。

这时候，她不由得对自己的处境进行着反复的考虑。整个奇异的遭遇，一幕一幕地在她的心头重演。又是十天过去了，她为之作出了巨大牺牲的情人竟没有来看她，这叫她多么难过哟！然而，就在这悲伤的时刻，她的病倒开始好转了。是的，她甚至变得坚定起来。可不是吗，当她的情人不久又来看她，像第一次听她吐露衷肠时一样坐在她床边的凳子上，和蔼地甚至温柔地劝她再坚持一下时，她便打断他的话，微微一笑说：

"不用您再劝啦，我尊敬的朋友。我会耐心地坚持完最后这几天的；因为，我确信，您让我承受的这个誓约，对我是太有好处了。我现在太虚弱，无力表达我心中对您的感激。您使我自己挽救了自己，自己保全了自己，我认识到，我今后的整个生命，都是您赐予的。

"不错，我的丈夫明智、聪明、了解妇女的心；他宽宏大量，不责怪妻子胸中由于他自己的过错而产生的非分之想。可不是吗，他甚至放弃自己的权利，以成全天性的要求，他的心胸真可算博大的了！可是您呢，先生，您善良而理智；您使我感觉到，我们身上除去情欲之外，还存在某种与这抗衡的东西，使我们能放弃已习惯的美好生活，打消哪怕最热烈的欲望。您教育了我，教育的方法是让我产生错觉和希望。但错觉也罢，希望也罢，如今都不需要了，因为我们业已认识了那个静静存在于我们内心的、向善而强有力的自我；它在完全成为我们的主宰之前，至少也不断用各种方式提醒我们，使我们意识到它的存在。望您珍重，先生！您的女友将高兴再见到您；希望您也像帮助我一样，帮助您的同胞，不但排解他们在钱财问题上容易产生的困惑，而且也循循善诱，以身作则，让每个人心里都萌生出道德的力量。公众的敬仰将是您的报酬；而您，不只会成为重要的政治家和伟大的英雄，并且将赢得祖国之父的荣名。"

"名家音频讲播版"：听名家讲名著

★著名作家+知名学者+一线名师倾情打造，权威、专业
★提纯名著精华，跟随名家半小时读完一本书
★音频讲播，多元体验，带您品味文学名著的不朽魅力

局外人	马　原	知名作家
红字	马　原	知名作家
神曲	欧阳江河	诗人、批评家
日瓦戈医生	刘文飞	翻译家、中国俄罗斯文学研究会会长
普希金诗选	刘文飞	翻译家、中国俄罗斯文学研究会会长
月亮和六便士	朱宾忠	武汉大学英语系教授
静静的顿河	周　露	浙江大学外语系副教授
傲慢与偏见	周　露	浙江大学外语系副教授
少年维特的烦恼	梁永安	复旦大学中文系副教授
了不起的盖茨比	唐建清	南京大学文学院副教授
源氏物语	王　辉	湖北大学日语系副教授
红与黑	梁　欢	湖北大学法语系副教授
包法利夫人	邓毓珂	湖北大学日语系副教授
巴黎圣母院	程红兵	语文特级教师
羊脂球	李镇西	语文特级教师
一千零一夜	肖培东	语文特级教师
老人与海	柳袁照	语文特级教师
小王子	孙建锋	语文特级教师
名人传	张文质	教育学者
海底两万里	罗　灼	语文教师
悲惨世界	谌志惠	语文教师
格列佛游记	宋丽婷	语文教师
基督山伯爵	黎志新	语文教师
呼啸山庄	樊青芳	语文教师
高老头	孟兴国	语文教师
钢铁是怎样炼成的	李　秋	语文教师
欧也妮·葛朗台	刘　欢	语文教师

扫码听梁永安讲
《少年维特的烦恼》